COMMENT CULTIVER

la Violette Africaine

COMMENT CULTIVER

la Violette Africaine

Michel TREMBLAY

1987

Québec Science Éditeur
Presses de l'Université du Québec
Case postale 250, Sillery, Québec
G1T 2R1

Association des amateurs
de violettes africaines de Montréal
3055, Terrasse Abénaquis
Longueuil, Québec   J4M 2B6

Photographies de la page couverture:
    plat supérieur: variété *Fantaisiste*,
                 hybridée par Michel Tremblay
    plat inférieur: variété *Mona loa*,
                 hybridée par Granger Garden

Ces photographies et celles de l'intérieur ont été fournies par
Claude Bélanger, Thérèse Decelles, Yvon Decelles
et Michel Tremblay.

ISBN 2-920073-53-2

*Tous droits de reproduction, de traduction
et d'adaptation réservés* © 1987
Québec Science Éditeur / Presses de l'Université du Québec
Association des amateurs de violettes africaines de Montréal

Dépôt légal — 2e trimestre 1987
Bibliothèque nationale du Québec
Bibliothèque nationale du Canada
Imprimé au Canada

PRÉFACE

Jusqu'à maintenant, les amateurs de violettes africaines (Saintpaulia) ne pouvaient consulter que de rares documents en français.

La parution d'un ouvrage francophone substantiel ne peut que réjouir tous les fervents de la culture de cette plante surnommée à juste titre «**reine des plantes d'intérieur**». Cet ouvrage de vulgarisation s'adresse tout aussi bien aux débutants qu'aux amateurs chevronnés qui y puiseront des renseignements et des conseils présentés de façon simple et claire.

Michel Tremblay nous offre dans cet écrit le fruit de plusieurs années de travail d'expérimentation et vient ainsi, soit confirmer la valeur de notions déjà connues, soit présenter ces notions sous un jour nouveau.

Nous remercions Michel Tremblay d'avoir bien voulu nous faire profiter de ses connaissances et de sa vaste expérience. Nul doute que les amateurs de violettes africaines et les sociétés d'horticulture se feront un honneur et un plaisir de se référer à un ouvrage écrit par un des leurs.

Denis Croteau
Président
Association des amateurs de violettes africaines de Montréal

AVANT-PROPOS

Il n'est pas exagéré de qualifier la violette africaine de reine des plantes d'intérieur, car elle est devenue au fil des années la plante la plus connue et la plus cultivée. Son véritable nom, Saintpaulia, lui fut donné en l'honneur du baron Walter von Saint Paul, le premier à s'intéresser à cette plante. Elle fait partie de la famille des gesnériacées, qui regroupe un grand nombre de plantes de serres et d'appartements. Aux fins de cet ouvrage, nous lui conservons son nom de violette africaine, puisqu'il est mieux connu et qu'il lui va si bien.

Cette capacité qu'elle a de convenir aux goûts de plusieurs, la violette africaine la doit à ses formes diverses et à ses couleurs éclatantes. Certains préfèrent les miniatures ou les semi-miniatures. D'autres aiment les variétés standards ou encore les rampantes. Peu de personnes restent indifférentes devant les colorations de blanc, de rose ou de jaune des variétés récentes au feuillage panaché. Et la plante n'a pas fini d'évoluer.

Tous ces aspects de la violette présentent quelque attrait, mais ce sont encore les fleurs qui retiennent le plus l'attention. Les hybrideurs ont fait preuve de talent et d'imagination pour créer des variétés aux teintes et aux formes extraordinaires, satisfaisant même les plus difficiles. Les fleurs enjolivent maintenant les plants toute l'année et permettent d'égayer les décors de nos maisons. L'emploi de la violette africaine dans la décoration n'a de limite que la créativité de chacun, à condition de respecter certaines règles élémentaires.

Quoi qu'en disent certains, sa culture est facile. Comme tous les membres du règne végétal, la violette africaine exige cependant le respect de certaines conditions, mais qui sont simples et se trouvent dans nos maisons sans qu'il y ait à modifier quoi que ce soit. Il suffit parfois de suppléer à une carence et le tour est joué. Donnez un peu de soin chaque semaine à votre violette africaine et celle-ci vous fournira en récompense une abondante floraison. Les fleurs se renouvelleront sans cesse et seule une erreur dans la culture viendra interrompre ce spectacle.

À la lecture de ce livre vous constaterez la simplicité et la facilité de la culture de la violette africaine. Si vous suivez attentivement les conseils qui y sont donnés, vos plantes resteront toujours en fleurs et vos problèmes trouveront leurs solutions.

Puisse cet ouvrage faire connaître et aimer la violette africaine, plante qu'on ne peut se lasser d'admirer et qui procure assurément des instants merveilleux.

REMERCIEMENTS

Je suis particulièrement reconnaissant à mon épouse, Denise, et à mes enfants, Annie et Pierre-Paul, pour leur patience et leur compréhension à mon égard pendant la rédaction de ce livre.

De plus, pour avoir facilité de diverses façons sa réalisation, je remercie Denis Croteau, président de l'Association des amateurs de violettes africaines de Montréal, ainsi que mes nombreux amis qui m'ont encouragé à travailler à cet ouvrage.

TABLE DES MATIÈRES

HISTORIQUE

C'est en 1892 qu'un Allemand, le baron Walter von Saint Paul, fit la découverte de la violette africaine dans les zones montagneuses du nord de la Tanzanie, près du lac Victoria. Il fit parvenir des graines en Allemagne à son père, le baron Ulrich von Saint Paul. Celui-ci s'intéressa aux nouvelles plantes issues de ces graines et en envoya quelques-unes à différents horticulteurs européens qui, à leur tour, furent conquis. Ceux-ci entreprirent l'hybridation de cette nouvelle espèce de plante dans le but de créer de nouvelles couleurs, car au début toutes les fleurs étaient bleues, blanches ou lavande.

Hermann Wendland, botaniste et directeur du Jardin botanique royal de Herrenhausen en Allemagne, donna à la plante son nom botanique de *Saintpaulia ionantha*. Le mot ionantha vient du grec et veut dire « ressemblant à une violette ».

La violette africaine parvint aux États-Unis en 1926, au moment où Walter L. Armacost, de la firme Armacost & Royston, importa des semences d'un certain Ernst Benary, horticulteur allemand. Il en obtint quelques autres d'Angleterre. Il les sema et sélectionna les dix plus beaux spécimens qui furent introduits en 1936. Ce sont les variétés *Blue Boy, Sailor Boy, Admiral, Amethyst, Norceman, Neptune, Viking, Comodore, No. 32* et *Mermaid.*

De ces variétés, *Blue Boy* est la plus connue et fait l'orgueil de certaines collections. Grâce à la particularité qu'elle a de muter facilement, cette variété aux gènes très instables a donné en 1939 la première violette africaine à fleurs doubles; puis en 1942, la première variété à fleurs roses; et, quelques années plus tard, la première variété à fleurs «fantaisies».

FIGURE 1   *Les violettes africaines furent découvertes dans les zones montagneuses de la Tanzanie, près de l'équateur, au sud du lac Victoria.*

Aujourd'hui, près d'un demi-siècle plus tard, la violette africaine occupe une place de choix parmi les plantes d'intérieur et les hybrideurs travaillent encore avec acharnement pour créer de somptueuses variétés surpassant en beauté et en qualité les anciens hybrides.

1 LES SOINS CULTURAUX

Ce chapitre qui réunit tous les renseignements utiles à la culture de la violette africaine vous aidera à comprendre les phénomènes régissant cette culture.

Vous constaterez que la violette africaine exige le respect des mêmes conditions qui assurent notre propre confort et qu'elle possède un atout majeur: sa facilité d'adaptation.

Toutefois, si vous éprouvez des difficultés ou n'êtes pas entièrement satisfait des résultats obtenus, vous pourrez procéder à l'analyse complète de votre problème afin d'apporter le correctif nécessaire pour donner à votre plante l'essor et la vitalité essentiels à une bonne croissance, de même qu'à une floraison soutenue.

LE SOL

La réussite de la culture de la violette africaine dépend de plusieurs facteurs, mais le plus important demeure sans doute la composition du sol. Chacun possède une recette qu'il améliore avec le temps, mais les plus grands experts sont unanimes à dire que leurs succès seraient moindres s'ils n'avaient trouvé le mélange de sol adapté aux besoins de la plante. À plus forte raison pour le novice que des échecs répétés pourraient décourager il est primordial de bien comprendre que les racines doivent se développer dans un milieu apte à leur fournir support et éléments essentiels.

Les mélanges de sol sont aussi nombreux qu'il y a d'amateurs, puisque chacun essaie d'y mettre sa touche personnelle par l'apport d'un produit particulier. Pour qu'un mélange soit efficace, il doit posséder les qualités suivantes : légèreté, porosité, bonne capacité d'absorption et de rétention d'eau sans devenir trop mouillé. Stérile, il ne contiendra aucun insecte et aucune maladie.

Comme les milieux ambiants diffèrent, voici quatre mélanges que vous pourrez essayer. Adoptez celui qui vous donnera les meilleurs résultats.

MÉLANGE N° 1

    6 parties de mousse de tourbe tassée
    2 parties de vermiculite
    2 parties de perlite
    2 parties de terre de jardin stérilisée
225 g (1/2 tasse) de chaux horticole
100 g (1/4 tasse) de superphosphate 20 %

Chaque partie équivaut au contenu d'un pot de 155 mm (6 po). Il faut bien mélanger tous les ingrédients, car chacun a un rôle important à jouer, puis ajouter un litre d'eau pour humidifier le mélange et déclencher ainsi l'activité bactériologique. Le laisser vieillir quelque temps avant son utilisation améliore sensiblement son rendement.

Du choix judicieux de chacun des éléments dépend la qualité du mélange.

La mousse de tourbe d'origine canadienne est supérieure à cause de sa texture fine et propre, sa grande qualité et son prix relativement bas. Elle maintient le milieu humide.

La vermiculite possède un grand pouvoir de rétention d'eau tout en donnant au sol une texture légère.

La perlite procure au sol une bonne aération et un drainage suffisant.

Procurez-vous une bonne **terre de jardin** friable. N'oubliez surtout pas de la stériliser auparavant. Pour ce faire, humectez-la bien, placez-la dans un contenant de métal avec couvercle et laissez reposer au four à 90°C (190°F) pendant deux heures. Notez que la terre n'est pas un produit essentiel, mais elle apporte un surcroît de vie au mélange.

La chaux horticole (carbonate de calcium) réduit progressivement l'acidité que dégage la mousse de tourbe en vieillissant. Elle stimule l'action bactériologique, ce qui libère plus facilement les éléments nécessaires à la plante. De plus, elle améliore la perméabilité du sol. Il est recommandé de la réduire en fine poudre avant de l'utiliser.

Le superphosphate 20% apporte au sol une réserve súffisante de phosphate. Il se libère lentement dans le sol et régularise les floraisons en consolidant les tissus, tout en stimulant le développement des racines.

Si des problèmes surviennent à cause de la pourriture de la couronne, 15 cc (une cuillerée à table) de fermate, ajoutés au mélange, éloigneront cette maladie.

Le mélange de ces divers ingrédients assurera à votre sol un pH d'environ 7, ce qui est l'idéal; le pH variera peu jusqu'à ce qu'un nouveau rempotage soit nécessaire.

MÉLANGE N° 2

2 parties de terre grasse de jardin
  (argile-sable-humus)
2 parties de perlite
2 parties de vermiculite
2 parties de charbon de bois (grosseur: 1 cm)
8 parties de mousse de tourbe tassée
  (1 partie = 1 pot de 200 mm)

Bien mélanger tous ces ingrédients, puis y incorporer:
450 g (1 tasse) de poudre d'os
450 g (1 tasse) de chaux horticole
      (carbonate de calcium)
  15 cc de fermate ou ferbam
    2 litres d'eau

Ce mélange a été mis au point par Ernest Fisher, l'un des plus grands spécialistes canadiens dans la culture de la violette africaine. C'est un des meilleurs mélanges et il a fait ses preuves.

MÉLANGE N° 3

7 parties de la formule de sol «Agro-mix»
2 parties de vermiculite
1 partie de perlite
1 partie de terre noire
    (1 partie = un pot de 155 mm)

Ce mélange très efficace demeure l'un des plus simples à réaliser.

MÉLANGE N° 4

4 parties de la formule de sol «Pro-mix»
2 parties de vermiculite
1 partie de perlite
    (1 partie = 1 pot de 100 mm)

Mélanger le tout, puis prendre trois parties de ce mélange auxquelles on ajoute une partie de terre de jardin stérilisée et 20 cc (4 cuillerées à thé) de chaux horticole (dolomitique).

Cette recette utilisée par plusieurs membres de l'Association des amateurs de violettes africaines de Montréal a été mise au point par Thérèse et Yvon Decelles, spécialistes réputés.

LE pH

Outre les caractéristiques propres que procure chaque composant à un mélange, les sols possèdent un pH qui peut être acide, neutre ou alcalin. Ce qui peut sembler un détail est en fait très important et influence beaucoup la culture de toutes les plantes, particulièrement des violettes africaines qui y sont très sensibles.

Quel que soit le mélange de sol utilisé, la violette africaine réclame un sol légèrement acide ou neutre, soit une lecture de pH variant de 6,4 à 7. La croissance atteint alors son maximum.

Les mélanges suggérés dans ce chapitre possèdent un pH satisfaisant, mais au bout d'un certain temps ils s'acidifient sous l'action lente de la mousse de tourbe. Comme conséquence, la croissance ralentit, la floraison diminue puis s'arrête. Un changement de sol s'impose. On peut aussi tenter de retrouver le bon pH en ajoutant aux premiers centimètres de terre 5 cc de chaux horticole par pot de 100 mm. Généralement cette mesure réussit, mais la solution ne sera que provisoire. Tôt ou tard, il faudra changer le sol.

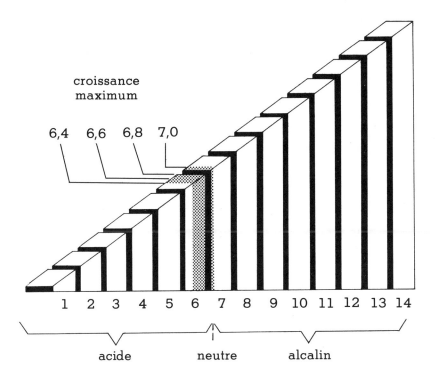

FIGURE 2   *Échelle de pH. Le sol de la violette africaine doit être de légèrement acide à neutre, soit d'un pH variant entre 6,4 et 7 sur l'échelle.*

Le maintien d'un bon pH favorise la vie microbienne et transforme les engrais chimiques en éléments assimilables par la violette africaine, équilibrant par le fait même la croissance.

Les commerces spécialisés vendent un petit appareil peu coûteux qui permet une lecture relativement précise du pH, nettement suffisante pour l'amateur. L'achat de cet appareil constitue un bon placement.

LE REMPOTAGE

La violette africaine est jolie et décore un intérieur par sa seule présence. Il n'est donc pas nécessaire d'avoir un pot très décoratif pour la mettre en valeur, puisque de toute façon ce n'est pas lui qu'on regarde. Certains pots obligent par ailleurs à des modifications importantes dans la culture, ou encore, à une adaptation de la technique d'arrosage au genre de pot qu'on utilise. L'expérimentation s'avérera nécessaire pour savoir quoi faire dans des cas particuliers, mais quoi qu'il en soit, un bon pot pour violette africaine est toujours percé d'un trou de drainage qui laisse s'écouler facilement l'excès d'eau d'arrosage. Sinon, on assiste à la mort rapide de la plante par pourriture des racines.

Quelle sorte de pots utiliser?

Au fil des ans, l'industrie a conçu toutes sortes de pots pour la culture de la violette africaine. Différents par leur grosseur, leurs formes et les matières qui entrent dans leur fabrication, ces pots ne remplissent pas toutes les promesses que leur attribue la publicité. Parfois, ils ajoutent effectivement une note décorative, mais ils nuisent au bien-être de la plante.

Les opinions divergent quant au pot idéal, ce qui n'étonne pas puisqu'aucun n'est parfait; tous ont leurs avantages et leurs inconvénients. Certains pots coûtent très cher sans qu'aucune garantie ne les accompagne.

Finalement, après avoir essayé plusieurs genres de pots, l'amateur averti choisit le pot de plastique traditionnel. Léger, pratique, économique et réutilisable, il empêche aussi une évaporation trop rapide qui réduit par le fait même les arrosages. Il convient exactement aux racines et assure une bonne culture. Toutes ces conditions favorisent la croissance maximum de la plante.

La fréquence du rempotage

Les conditions de culture font varier la fréquence du rempotage. Généralement, au bout de six mois le terreau a perdu ses éléments essentiels et demande à être changé. De plus, la plante a atteint une dimension telle qu'elle réclame plus d'espace pour ses racines. Comme règle générale, le diamètre du pot représente le tiers du diamètre de la plante.

Un moyen efficace de vérifier si la plante a besoin d'être transplantée consiste à sortir la motte de terre de son pot. Si les racines ont envahi le pourtour du pot et tournent en rond, un rempotage dans un pot plus grand est nécessaire. Si elles ne font que commencer à toucher au pot, la motte est replacée dans le même pot.

Le rempotage permet l'apport de nouveau terreau et, par le fait même, le remplacement d'éléments devenus déficients. La plante réagit toujours positivement à un nouveau rempotage lorsque l'opération est bien faite. L'amateur qui sait contrôler ses rempotages conserve ses variétés de violettes africaines pendant des années.

La grosseur et la hauteur du pot

On retiendra le principe que les racines de la violette africaine ne s'enfoncent pas profondément dans le sol, préférant s'étendre plutôt à la surface. L'emploi de pots peu profonds convient donc mieux. Les pots de hauteur standard s'utilisent pour une jeune plantule jusqu'au deuxième ou troisième rempotage. Dès que la grosseur de pot de 100 mm (4 po) est atteinte, l'utilisation de pots à azalée ou de pots à bulbes répond mieux aux besoins de la plante.

Un principe important à souligner veut qu'il ne faut jamais cultiver une violette africaine dans un pot trop grand, car la floraison en souffrirait longtemps par la suite. Les racines doivent se sentir quelque peu à l'étroit pour initier le mécanisme de la floraison.

La croissance d'une jeune plantule débute dans un pot de 65 mm (2,5 po). La plante est transférée ensuite dans un pot de 75 mm (3 po) ou 90 mm (3,5 po). Puis, suivant la progression de la croissance, un pot de 100 mm (4 po) ou 130 mm (5 po) devient une nécessité. Quelques amateurs, plus spécialistes, ont de bons résultats avec des pots de 155 mm (6 po) ou des pots de 180 mm (7 po) pour les très grosses plantes d'exposition. Cas exceptionnels, car peu de variétés ont dans leurs gènes la possibilité d'atteindre une aussi grande taille.

Comment rempoter

La pratique et l'expérience augmentent la dextérité de chacun. Il est facile d'apprendre comment transplanter une violette africaine. En observant quelques principes de base, on arrive à réussir ses rempotages sans gêner la croissance.

Quelques heures avant le nouveau rempotage, la plante est arrosée dans le but de faciliter son extraction du pot en une motte de terre complète. Ce petit truc permet aux racines de se décoller du pot sans s'abîmer. Ainsi, la violette est peu affectée et continue sa croissance normale sans interruption et sans perturbation.

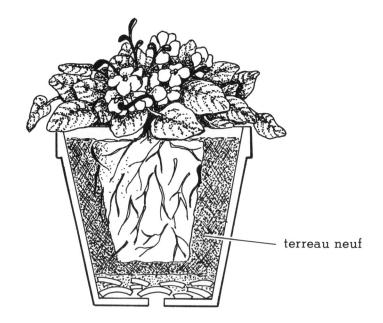

terreau neuf

FIGURE 3   *Plante nouvellement transplantée. Remarquez que la motte de terre formée dans le vieux pot est demeurée intacte. Le départ de végétation est immédiat et le choc est réduit au minimum.*

L'opération se résume en quatre étapes:

1) sortir la plante de son pot;
2) prendre un pot de la grandeur suivante et y placer l'ancien pot à l'intérieur;
3) remplir de terreau neuf et humide l'espace entre les deux pots en tassant légèrement et retirer délicatement l'ancien pot;
4) dans le moule ainsi formé, déposer la plante et remplir avec un peu de terreau.

Souvent, lorsqu'on rempote une jeune plante, il faut enlever quelques feuilles de sa dernière rangée pour lui redonner une belle symétrie et atténuer le choc, même s'il est très léger.

Les soins à donner après le rempotage

Immédiatement après le rempotage, un léger arrosage favorise l'établissement de la plante. Mais avant de procéder à un autre arrosage, il y a nécessité d'attendre que le sol devienne particulièrement sec. Ainsi, il y a cicatrisation rapide de toutes les blessures et production de nouvelles radicelles, recréant un équilibre parfait. Durant les quinze premiers jours, vous abriterez légèrement la plante du soleil pour diminuer l'évaporation trop rapide. Par la suite, la violette reprendra son cycle normal en réintégrant la collection avec les mêmes soins qu'auparavant.

LA LUMIÈRE

Quel élément important que la lumière! Elle assure à toutes les plantes une bonne croissance et son dosage approprié favorise la réussite. Certaines plantes demandent beaucoup de lumière, d'autres moins. Voyons maintenant les besoins particuliers à la violette africaine.

Le contrôle de la lumière conditionne tout particulièrement le phénomène de la floraison. Quand une violette ne fleurit pas, la cause première réside très souvent dans une déficience de l'éclairage.

Plusieurs amateurs cultivent leurs violettes africaines sous éclairage artificiel, et c'est la meilleure méthode. D'autres obtiennent quand même de très bons résultats en disposant leurs plantes sur l'appui ou près d'une fenêtre.

Une façon de mesurer la lumière

Sans entrer dans des explications trop techniques — cela n'est pas le but de cet ouvrage — il vous faut savoir que l'intensité de la lumière se mesure en pieds-bougies, unité de mesure utilisée jusqu'à récemment par les scientifiques et qui équivaut à la lumière que dégage une bougie à un pied de distance. Pour faciliter la compréhension, nous citerons quelques exemples pratiques. Il est à noter que les données qui vont suivre constituent des moyennes approximatives et peuvent varier d'une région à une autre.

On peut affirmer sans trop se tromper que, pendant l'été, le soleil du midi fournit environ 9 000 pieds-bougies. Plus le soleil se situe aux extrémités, soit à l'est et à l'ouest, plus son intensité diminue progressivement pour atteindre environ 1 500 pieds-bougies le matin et le soir. Nous parlons ici d'une journée ensoleillée. Par journée nuageuse, le soleil fournit environ 2 000 pieds-bougies, cette mesure variant considérablement.

Pendant l'hiver, l'intensité maximale de la lumière atteint à peu près 5 000 pieds-bougies et environ 1 000 pieds-bougies quand le soleil se trouve à l'est ou à l'ouest.

Par une journée de pluie, de brume ou de neige, l'intensité de la lumière se situera entre 300 et 500 pieds-bougies.

La violette africaine, pour bien pousser et fleurir, exige entre 500 et 2 000 pieds-bougies. Elle tolère davantage mais la ventilation devra être ajustée pour diminuer les risques de brûlure.

La culture à la lumière naturelle

À la lumière naturelle, il est plus difficile de préparer avec succès une violette africaine pour une exposition que si elle est placée sous éclairage fluorescent. Il est cependant possible de conserver une plante bien fleurie en tout temps de l'année en observant quelques règles bien simples. Les données fournies précédemment guideront l'amateur qui veut trouver le meilleur endroit où placer une violette africaine.

Entre les mois d'avril et septembre, la violette africaine placée près d'une fenêtre orientée vers l'est, l'ouest ou le sud devra être protégée du soleil trop ardent par un rideau «plein jour» qui en tamisera les rayons.

D'autre part, pour la période comprise entre les mois d'octobre et mars, la protection contre les rayons du soleil est moins importante.

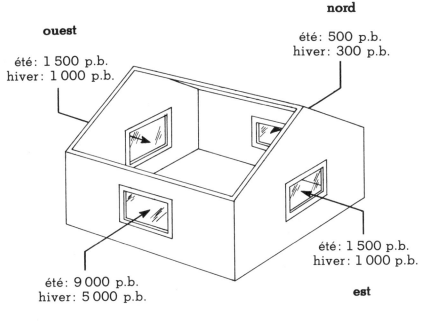

nord

été: 500 p.b.
hiver: 300 p.b.

ouest

été: 1 500 p.b.
hiver: 1 000 p.b.

été: 1 500 p.b.
hiver: 1 000 p.b.

est

été: 9 000 p.b.
hiver: 5 000 p.b.

sud

FIGURE 4   *Cette illustration résume ce que les différentes fenêtres peuvent recevoir en pieds-bougies de lumière par des journées ensoleillées, dans la région du sud du Québec. Ces mesures sont approximatives mais font bien comprendre l'importance de l'orientation de la fenêtre pour les plantes qui en reçoivent leur lumière.*

L'éclairage artificiel

La culture d'une violette africaine sous éclairage fluorescent donne des résultats remarquables. La floraison s'échelonne sur toute l'année et la culture est facilitée du fait qu'il devient possible de réunir le maximum de conditions nécessaires.

On trouve facilement sur le marché de nombreuses étagères toutes aussi belles et pratiques les unes que les autres. Cependant, le bricoleur ingénieux peut réaliser, à peu de frais, une étagère correspondant à ses goûts et à ses besoins personnels. La fabrication exige un minimum d'habileté et les plus adroits réussiront des étagères très décoratives qui rehausseront l'aspect d'une pièce, tout en fournissant aux plantes un endroit où croître à merveille.

Comme équipement de base, une minuterie qui allume et éteint automatiquement les lumières s'avère un instrument non seulement pratique mais indispensable. En effet, il faut reconstituer artificiellement des journées pour s'approcher le plus possible de la nature, et la régularité est une condition essentielle pour la réussite. La minuterie automatique fera tout le travail sans aucune intervention de notre part.

La durée de l'éclairage

Pour avoir de belles violettes au feuillage symétrique surmonté d'une belle floraison, les lumières brilleront durant une période de 12 heures. On peut modifier quelque peu cette période d'éclairage, mais avec moins de 11 heures de lumière la plante commence à croître en s'étiolant et la floraison diminue. Au-delà de 15 heures, le feuillage se recroqueville au centre, devient cassant et peut même se tacher de marques de brûlure. La réalisation d'une belle symétrie se complique également. Les tiges florales émergent très difficilement, n'ayant pas assez de place pour se frayer un chemin, et la culture est alors compromise.

La distance

La distance à observer varie de 25 à 35 cm (10 à 15 po) entre le dessus de la plante et la source lumineuse. C'est à cette distance que la violette se comporte de la meilleure

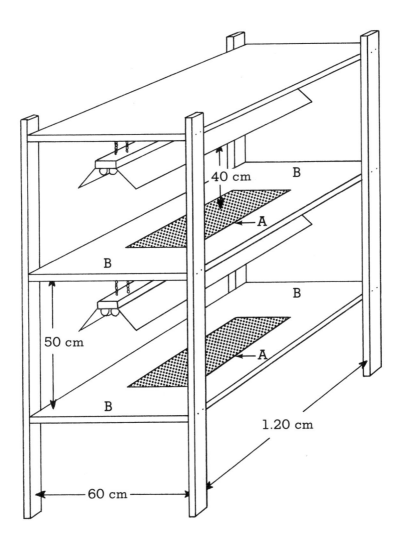

FIGURE 5   *Plan d'une étagère simple à réaliser. Il existe sur les*
plateaux des endroits où il y a plus de lumière.
En A, placer les feuillages foncés. En B,
les feuillages pâles. Sur la tablette du bas,
généralement plus fraîche, disposer les feuillages
panachés.

façon. Le feuillage s'étalera horizontalement en rosette symétrique (exemple: une marguerite). Il donnera facilement une plante d'excellente conformation.

Cette distance fournit suffisamment de pieds-bougies pour couvrir une largeur de 90 cm (30 po) de culture. Bien entendu, les plantes placées sur les côtés sont tournées chaque jour d'un quart de tour afin que toutes les parties de la plante reçoivent une quantité égale de lumière. Le feuillage est en effet attiré vers le centre de la source lumineuse, qui fournit plus de pieds-bougies. C'est le même phénomène (héliotropie) qui fait se tourner le feuillage vers le soleil lorsqu'une plante est cultivée sur l'appui d'une fenêtre.

Les tubes fluorescents

L'industrie a produit plusieurs types de tubes fluorescents à vocation horticole. Ces tubes coûtent de plus en plus cher, mais ils durent plus longtemps. Leurs caractéristiques s'approchent de la lumière naturelle, permettant de réussir la culture de plantes plus exigeantes comme celle des orchidées ou des cactées.

La violette africaine exige cependant moins quant à la qualité de la lumière. À défaut de tubes spéciaux, elle se contente d'une source lumineuse provenant de tubes fluorescents ordinaires (cool white).

Depuis des années, j'emploie le tube «Gro-lux» de Sylvania avec d'excellents résultats. Il demeure l'un des meilleurs achats pour la culture de la violette africaine. L'amateur peut réduire son coût d'achat en le jumelant avec un tube cool white. Il obtiendra des plantes à croissance superbe.

Plusieurs amateurs connaissent des succès étonnants en utilisant uniquement deux tubes cool white. D'ailleurs, lors de compétitions, même les plus grands spécialistes ne parviennent pas à différencier les unes des autres les violettes africaines qui ont été cultivées sous l'une ou l'autre source lumineuse.

Donc, à l'achat de tubes fluorescents, l'amateur préférera ceux que ses moyens financiers lui permettront, tout en retenant que les tubes spéciaux fournissent la source de lumière satisfaisant le plus aux besoins de la plante.

Conclusion

Bien que la culture à la lumière naturelle donne de bons résultats, le nombre de fleurs sera en relation directe avec le nombre de jours ensoleillés durant le mois. Par conséquent, il faudra penser à une source lumineuse d'appoint pour une floraison continue.

Apprendre à cultiver sous éclairage artificiel procure une grande satisfaction. Les résultats sont tels que l'amateur croira que la violette africaine fut créée pour pousser sous cet éclairage et que son enthousiasme grandira en observant les résultats. Le seul problème susceptible de se présenter pourra être le manque d'espace.

L'ARROSAGE

Voici que s'ouvre un débat. Les grands amateurs vous disent qu'ils arrosent par la soucoupe. D'autres, aussi grands spécialistes, affirment ajouter l'eau par le haut. En fait, les uns et les autres ont raison. C'est en observant un seul et même principe, soit arroser au besoin, qu'ils obtiennent les meilleurs résultats.

Mais quand le besoin se fait-il vraiment sentir? Là réside toute la question, celle que l'on pose le plus souvent. Et lorsqu'on a réussi à trouver la réponse, on obtient l'un des secrets de la réussite. Le reste ne concerne que des ajustements destinés à favoriser l'obtention de résultats supérieurs.

Les règles à suivre

Première règle: verser la quantité d'eau nécessaire, c'est-à-dire la quantité d'eau que peut absorber la motte de terre. Que vous arrosiez par le dessus ou le dessous a peu d'importance. Il suffit de laisser l'excédent d'eau séjourner dans la soucoupe une ou deux heures, puis de le jeter au bout de cette période. Il est certain que la terre et la plante ont alors absorbé toute la quantité d'eau nécessaire, qui varie suivant la grosseur du pot et de la plante.

Deuxième règle : attendre que la terre se soit asséchée partiellement avant de procéder à un nouvel arrosage. On constate que la terre est sèche par sa couleur plus claire ou par le poids plus léger du contenant. Comme ce dernier moyen demande plus d'expérience, il est préférable au début d'observer la couleur du sol. C'est un indice qui ne trompe pas.

En suivant ces deux règles simples, il devient impossible de trop arroser. Cette méthode vraiment efficace vous évitera de perdre vos variétés favorites par la cause première de mortalité que constitue le surplus d'arrosage, car vous conservez ainsi tout l'oxygène qu'exigent les racines pour bien remplir leurs nombreuses fonctions et assurer à la plante une croissance régulière.

En somme, vous remarquerez que je ne vous conseille pas d'arroser à tous les quatre ou cinq jours, mais bien d'effectuer un arrosage seulement quand votre plante le demande. Le microclimat dans lequel vous cultivez vos plantes établira la fréquence, qui pourra varier selon les saisons et le temps de l'année. À partir de ces différents éléments, tentez d'établir un calendrier d'arrosage qui respecte les deux règles décrites plus haut.

L'arrosage par capillarité (mèche)

L'arrosage par capillarité, qui constitue une autre méthode pour apporter à la plante toute l'eau dont elle a besoin, est employé par bon nombre d'amateurs. Son principal avantage est qu'il permet d'espacer considérablement les périodes d'arrosage tout en réduisant au minimum le temps consacré à cette opération.

Cependant le sol doit alors subir une modification majeure qui consiste à le rendre très léger afin que les racines reçoivent l'oxygène nécessaire à leur développement dans un milieu constamment humide. À chaque partie du mélange de base vous ajouterez donc une partie de perlite, sans tenir compte du fait que le mélange en contienne déjà. Il ne faut pas tasser le sol, toujours afin d'y conserver une quantité d'air suffisante pour oxygéner les racines.

Le fonctionnement de l'arrosage par mèche s'avère très simple. Il s'agit du même principe qui fait fonctionner les lampes à l'huile. L'eau provenant d'un petit réservoir imbibe une mèche et l'effet de capillarité lui permet de monter dans le pot, humidifiant le sol. Tant qu'il reste de l'eau dans le réservoir, le transfert s'effectue automatiquement.

Ce système se fonde sur deux éléments de base : le pot qui contient le mélange de terre modifié et le réservoir de dimension désirée. Ce dernier est muni d'un couvercle percé de deux petits trous ; celui du centre sert à passer la mèche ; celui du côté à remplir le réservoir sans enlever le couvercle. Le pot et le réservoir sont réunis par une mèche qui passe de la terre à l'eau du réservoir. Ce passage s'effectue à travers le trou de drainage du pot et celui percé dans le couvercle du réservoir. Le pot repose sur le couvercle du réservoir. Jamais la mèche ne doit être retirée du sol.

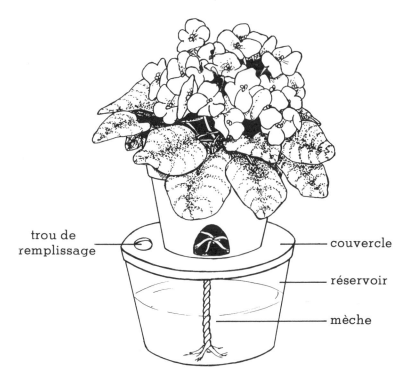

trou de
remplissage ———

———— couvercle

———— réservoir

———— mèche

FIGURE 6   *Système d'arrosage par capillarité. L'eau imbibe la mèche et passe dans le pot automatiquement, humidifiant le sol.*

Pour déclencher l'action capillaire de la mèche, la terre et la mèche doivent être humectées. Par la suite, tant que la terre et la mèche ne sèchent pas, il n'y a plus à s'en préoccuper; l'action capillaire s'exercera et fournira l'humidité exigée par les racines.

Lorsque l'eau du réservoir diminue, on la renouvelle. On pourra même ajouter à cette eau des engrais solubles. Le dosage sera alors le suivant: le quart de la quantité recommandée par le fabricant.

La grosseur de la mèche s'avère un facteur déterminant. Trop grosse, elle fournit un excès d'eau et noie la plante. Trop petite, la plante manque d'eau. Il convient alors de faire quelques essais en se souvenant que plus le pot est petit, plus le diamètre de la mèche diminue et que celui-ci est augmenté proportionnellement à la grosseur du pot. La dimension de base sera 4 mm (1/8 po) de diamètre pour un pot de 75 à 100 mm (3 à 4 po).

Les meilleures mèches sont fabriquées en nylon. Elles s'obtiennent aisément dans tous les diamètres et durent longtemps. On les trouve surtout dans les boutiques de laine.

L'arrosage par mèche devient aussi une solution pendant une absence prolongée, par exemple les vacances annuelles, puisque l'arrosage s'effectue automatiquement pendant longtemps.

LA TEMPÉRATURE

Quelles sont les conditions idéales de température pour bien réussir la culture d'une violette africaine ?

Nous pouvons répondre facilement à cette question en affirmant que la température d'un appartement où l'homme trouve agréable de vivre convient exactement, c'est-à-dire entre 18°C (65°F) et 24°C (75°F).

Lorsque la culture s'effectue à l'intérieur de cet écart de température, l'amateur obtient le meilleur rendement de sa plante. Nous constatons une croissance optimale et un cycle de floraison rapide. En effet, ces températures favorisent une absorption équilibrée des engrais chimiques, puisqu'à l'intérieur de ces limites tous les composants des engrais conservent une activité constante.

Une trop grande élévation de température détériore la plante. Les fleurs rapetissent, les tiges florales faiblissent et le feuillage varie en grosseur. Une température élevée libère plus facilement l'azote fournie par l'engrais : il peut en résulter une croissance déséquilibrée. En outre, plus la température est élevée, et plus s'accroissent les risques de maladies cryptogamiques (causées par des champignons parasites). Il devient difficile de les combattre sans un abaissement de la température.

À moins de 18°C (65°F), la croissance ralentit proportionnellement à l'abaissement de la température et s'arrête presque totalement au-dessous des 15°C (60°F).

Une baisse de température impose aussi une diminution de la fréquence des arrosages. Des ajustements bien calculés se révèlent une nécessité pour le confort de la plante.

De plus lorsqu'il y a un grand écart de température entre le jour et la nuit, le feuillage se couvre d'une rosée qui, en séchant, tache les feuilles et occasionnellement assèche et détruit les petites feuilles naissantes du cœur de la plante. Une ventilation appropriée permet à la plante de demeurer plus au sec en même temps qu'elle éloigne les risques de problèmes.

L'HUMIDITÉ

Dans leur pays d'origine, les violettes africaines croissent dans une humidité ambiante de près de 90%. L'hybridation a cependant créé des variétés qui résistent très bien à une atmosphère plus sèche. La plupart des variétés récentes supportent en effet maintenant un taux d'humidité de 40%, facile à retrouver dans nos foyers.

L'humidité est un facteur à considérer pour assurer une bonne floraison. Si l'humidité relative n'est pas assez élevée, les boutons floraux se forment, mais bientôt ils avortent et tombent, indice très révélateur d'un problème d'humidité.

Généralement, durant la belle saison, l'humidité se maintient suffisamment élevée pour qu'on n'ait pas à s'en préoccuper. Mais l'hiver venu les problèmes surviennent parce que l'air ambiant devient trop sec, surtout à cause des systèmes de chauffage des maisons qui sont de plus en plus hermétiques.

Il existe de petits hygromètres qui révéleront le taux d'humidité relative dans l'environnement où croissent les violettes africaines. Si ce taux se situe au-dessous de 40 %, il faut remédier à la situation par certains moyens relativement simples.

Rappelons d'abord le principe selon lequel le taux d'humidité relative augmente avec une baisse de la température. Dès lors, le fait de placer durant l'hiver une violette à proximité d'une fenêtre où la température est plus fraîche occasionnera une hausse de l'humidité relative, alors que l'éloignement de la violette provoquera une baisse du taux d'humidité.

Retenons aussi que certaines pièces d'une maison offrent naturellement un taux d'humidité supérieur à celui des autres pièces. Nous parlons ici de la cuisine et de la salle de bain. Mettre les plantes dans ces pièces résoudra le problème à condition de trouver une source de lumière suffisante.

Par ailleurs, le fait de regrouper les plantes crée en quelque sorte un microclimat qui facilite la culture en raison de l'évaporation dégagée par toutes ces plantes.

Si un problème de chute des boutons persiste, vous pourrez déposer à la base des plantes de petits bacs d'eau qui fourniront de l'humidité par l'évaporation graduelle de l'eau. Certains amateurs placent leurs plantes près d'un vaporisateur ou d'un humidificateur. Les résultats sont satisfaisants, mais le recours à ce genre d'appareils n'est vraiment nécessaire que si les autres moyens ont échoué.

Attention à l'excès d'humidité! Et cette mise en garde est importante. Évitez de tomber dans l'excès contraire en créant un milieu trop humide, sinon toutes sortes de maladies apparaîtront, qui gâcheront un beau travail et provoqueront l'anéantissement d'une collection en quelques jours.

En résumé, l'humidité ne devrait pas vous causer trop de problèmes si vous recourez à l'une des solutions suggérées pour remédier à une carence ou à un excès.

LA VENTILATION

Si vous ne possédez que quelques plantes, vous n'avez pas à vous préoccuper de la ventilation, à moins que vos plantes ne soient confinées dans un espace très restreint où il n'y a aucune circulation d'air, ce qui est très rare.

Si au contraire votre collection grandit, il devient nécessaire et même obligatoire de fournir à vos plantes une bonne ventilation qui permette à l'air de circuler légèrement. Vous éloignez en ce faisant plusieurs maladies dues à la stagnation de l'air ambiant. De plus, vous favorisez une croissance plus rapide tout en augmentant le rendement général.

Pour y arriver, munissez-vous d'un petit ventilateur électrique qui provoquera une légère circulation d'air autour des plantes. Ce déplacement d'air doit agir de façon indirecte, c'est-à-dire ne pas être dirigé directement sur les plantes, mais plutôt sur un mur ou vers le plafond. Vous créez ainsi un mouvement d'air délicat et continu.

En été, cette circulation d'air apporte assez de fraîcheur pour réduire les effets néfastes de la chaleur, améliorant ainsi le confort des plantes.

Somme toute, observez que, dans la nature, le vent distribue généralement ses bienfaits. Donc, faites de même dans vos foyers et simulez sa présence. Mais, de grâce, ne provoquez pas une tempête!

2 LES ENGRAIS

La floraison des violettes africaines se réalise sans l'utilisation des engrais lorsque toutes les autres conditions de culture sont satisfaites. Elle est alors directement influencée et contrôlée surtout par la quantité de lumière que la plante reçoit. Cependant pour une floraison plus soutenue, avec des fleurs plus grosses et plus abondantes au-dessus d'un feuillage luxuriant et vigoureux, les engrais chimiques sont souvent nécessaires. Ils ajoutent au plaisir de l'amateur qui en constate les effets bénéfiques à peine quelques semaines après leur addition, si bien entendu les engrais ajoutés conviennent à la plante.

L'étude de quelques notions élémentaires facilite la compréhension des fonctions des engrais.

POURQUOI FERTILISER?

La violette africaine trouve dans le terreau les éléments nécessaires autant à sa croissance qu'à sa floraison. Progressivement la plante épuise le sol de ses sels minéraux qui, s'ils ne sont remplacés, deviennent déficients et rompent l'équilibre de la croissance. Des signes évidents de carence apparaissent alors: floraison faible, feuillage jaunissant sur les bords, croissance ralentie, faiblesse générale de la plante et manque de résistance aux maladies.

C'est alors qu'un programme de fertilisation par des engrais complets répond aux besoins de la plante, en lui fournissant tous les éléments qu'elle demande.

LA COMPOSITION D'UN ENGRAIS CHIMIQUE

Un engrais chimique est constitué d'un ou plusieurs composants. Lorsqu'il est complet, l'engrais contient au moins les trois éléments suivants : l'azote, le phosphore et la potasse.

Ces trois produits sont indiqués sur tout contenant par les trois chiffres qui, dans l'ordre, donnent leur concentration en pourcentage.

Ainsi, si les chiffres 10-30-20 apparaissent sur le contenant, cela indique une concentration de 10 % d'azote, 30 % de phosphore et 20 % de potasse. Les 40 % restants sont constitués d'une part d'oligo-éléments, d'autre part de certaines substances inertes qui donnent l'apparence physique au produit pour sa présentation liquide ou granulaire.

Les oligo-éléments, même présents en infimes quantités, complètent un engrais et font souvent la différence entre un bon engrais et un de qualité moindre. Ces substances entrent dans la composition même des tissus végétaux ou participent comme catalyseurs à la formation de ces derniers. Parmi les principaux, nous notons le bore (B), le cuivre (Cu), le cobalt (Co), le zinc (Zn), le calcium (Ca), le molybdène (Mo), le fer (Fe) et le manganèse (Mn).

LES EFFETS DES ENGRAIS

L'azote est le stimulant essentiel d'une bonne croissance. Il favorise le développement du feuillage et accélère la végétation. Sous son action, la plante grandit et présente une partie aérienne supérieure. On peut résumer en disant que l'azote avantage l'élément vert d'une plante. Un manque d'azote se caractérise par des problèmes graves, comme l'absence de floraison, des fleurs stériles, une croissance très serrée du cœur de la violette africaine, une faiblesse de l'appareil végétatif, une sensibilité accrue aux maladies et enfin des dommages par brûlures au système radiculaire. Fait à noter, un excès d'azote se produit assez fréquemment lorsque certains amateurs font un emploi abusif d'engrais chimiques à haute teneur d'azote.

Le phosphore fortifie les tissus de la plante en stimulant le développement des racines. Il influence directement la floraison et la formation de la semence. C'est en fait le composant le plus important pour promouvoir une floraison continue et abondante. L'excès de phosphore, plutôt rare, entraîne une coloration du feuillage qui devient soudainement très foncé avec des taches rouges. Une déficience se remarque dans le cœur de la violette qui produit alors de petites feuilles mal formées.

La potasse favorise le bon fonctionnement de l'appareil végétatif en régularisant la circulation de la sève et l'assimilation des produits nécessaires à la plante. Elle fortifie les tissus, endurcit la plante aux maladies et accentue la couleur des fleurs. Une carence diminue la résistance aux maladies, atténue la couleur des fleurs, marque de taches brunes le bord des feuilles et, enfin, diminue la longévité de la floraison. Tous ces symptômes se présentent simultanément.

Le bore augmente la résistance aux maladies, et, surtout chez la violette africaine, diminue les risques de pourriture des racines.

Le cuivre, le cobalt et **le zinc** renforcent la structure et conservent une bonne charpente.

Le calcium se retrouve parfois en quantité insuffisante chez la violette africaine. Plusieurs symptômes révèlent une déficience: nouvelles feuilles faibles apparaissant avec une coloration jaunâtre et de petites taches brunes, bords des fleurs qui se fendillent, chute prématurée des boutons floraux. La correction s'opère en arrosant avec une solution d'eau additionnée de 5 cc de chaux dolomitique par 4 litres d'eau.

Le molybdène est un oligo-élément susceptible d'agir comme catalyseur déclenchant certains mécanismes naturels de la plante.

Le fer et **le manganèse** participent à la composition des tissus végétaux et contribuent à la formation de plantes équilibrées.

La plupart de ces produits composent un engrais chimique sous forme de «granules» plus ou moins solubles dans l'eau. Leur concentration est généralement indiquée sur l'étiquette de chaque contenant. De l'action de tous ces facteurs dépend une croissance harmonieuse de la plante.

LES MÉTHODES D'UTILISATION DES ENGRAIS CHIMIQUES

Chaque amateur voudrait posséder la meilleure méthode pour appliquer les engrais et ainsi obtenir les meilleurs résultats sans risquer d'endommager ses plantes. Il existe trois méthodes principales et le choix dépend de ses goûts personnels et des buts à atteindre.

La première méthode consiste à se fier aux recommandations du fabricant et à utiliser les engrais selon les directives inscrites sur le contenant. Ces instructions sont calculées en laboratoire et conviennent à un grand nombre de plantes. Toutefois, il ne faut jamais dépasser la dose recommandée.

Une deuxième méthode, très efficace, consiste à appliquer l'engrais à chaque arrosage pendant les trois premières semaines du mois et à arroser à l'eau pure la quatrième semaine. Pour ce faire, il faut réduire le dosage d'engrais en divisant par quatre la quantité recommandée par le fabricant et l'employer dans le même volume d'eau prescrit. L'engrais, ainsi dilué, ne brûlera aucune racine et n'endommagera pas la plante.

La troisième méthode permet d'adapter exactement le dosage des engrais aux besoins particuliers de la violette africaine selon les conditions dans lesquelles elle est cultivée. Cette méthode, très précise, fournit à la plante la dose exacte d'engrais à chacun des arrosages, favorisant une croissance uniforme sans aucun risque. Commencez par calculer le nombre d'arrosages pour un mois complet. Ensuite ramenez le dosage recommandé à un dosage mensuel. Enfin, divisez ce résultat par le nombre d'arrosages calculé pour un mois. Le nombre obtenu représente la nouvelle dose d'engrais à employer sans interruption à chacun des arrosages dans le même volume d'eau prévu par le fabricant.

LES ENGRAIS RECOMMANDÉS

Conformément aux explications données précédemment sur l'analyse des composants, l'amateur utilisera des engrais à haute teneur en phosphore et en potasse s'il désire obtenir des violettes africaines à floraison généreuse. Le pourcentage d'azote est généralement inférieur mais il ne doit pas être nul. En effet, il y a une interaction entre tous les éléments et leur présence assure une harmonie éloignant les problèmes.

Des formules comme 5-10-15, 12-36-14, 10-15-10, 10-30-20 ou 20-20-20, utilisées en alternance, comblent tous les besoins des violettes africaines, autant en éléments principaux qu'en oligo-éléments.

On facilite le bon départ d'une plante nouvellement transplantée si on la traite à l'engrais organique, tel que l'émulsion de poisson. En effet ce type d'engrais permet un développement rapide des bactéries du sol et fait que la plante assimile presque immédiatement les éléments fournis par les autres types d'engrais. Le système radiculaire se remet aussitôt à bien fonctionner et la plante subit un choc moindre.

Pour finir, signalons que tous ces composés d'engrais se présentent sous différentes formes, mais pour la violette africaine les engrais solubles dans l'eau demeurent supérieurs aux autres types. Les violettes africaines réagissent mieux parce que les éléments agissent promptement en étant plus facilement assimilables. Un emploi raisonnable et bien contrôlé des engrais produit des résultats spectaculaires.

À RETENIR

— Sur un sol très sec, un arrosage à l'eau claire devrait précéder de quelques heures une application d'engrais. Les brûlures aux racines seront ainsi évitées.

— Une solution d'engrais échappée sur une feuille ou une fleur causera des taches brunes irréparables.

— Les températures plus chaudes libèrent plus facilement l'azote. Alors, en été, utiliser surtout des engrais à faible teneur d'azote. Sinon, le feuillage se développera au détriment des fleurs.

— Doubler la dose d'engrais recommandée par le fabricant n'augmente en rien le rendement, mais cause au contraire des dommages souvent désastreux.

— Se souvenir, si on désire réaliser des croisements, que l'azote en trop grande quantité occasionne l'infertilité des fleurs et du pollen.

3 LES INSECTES

Entendre seulement prononcer le mot «insecte» fait frissonner plus d'un amateur. Il faut donc aborder le problème si l'on veut y trouver des solutions. La plupart des insectes sont des indésirables et il faut tous les éliminer parce que souvent ils transportent d'autres insectes, plus nuisibles, ou transmettent des maladies aux plantes.

L'ennui avec les insectes est que certains sont si petits que seul un amateur averti décèle leur présence. Croyez-moi, l'exactitude du diagnostic n'est jamais assurée et certaines erreurs sont toujours possibles lors du traitement.

Il demeure que lorsqu'on cultive dans un environnement sain et qu'on prend les précautions nécessaires, peu d'insectes envahissent une collection. Malgré toutes ces précautions, il survient tôt ou tard un problème, d'où la nécessité d'une description détaillée de chacun des insectes susceptibles d'attaquer les violettes africaines.

LA COCHENILLE FARINEUSE

Très répandue, la cochenille farineuse envahit presque toutes les sortes de plantes. Elle cause de très grands dommages aux violettes africaines. Il s'agit d'une petite masse blanche et cotonneuse mesurant 0,5 cm qui, écrasée, sera de couleur rosée. Elle se déplace très lentement et vit dans le sol, autour des racines et de la tige principale, dont elle se nourrit. Il arrive qu'elle monte sur la plante et se cache sous les feuilles.

Elle s'introduit dans une collection soit par l'intermédiaire d'une nouvelle acquisition ou par un terreau mal stérilisé. On constate sa présence par une perte de vigueur générale de la plante atteinte. En phase terminale, le feuillage ramollit, devient terne, et la floraison s'interrompt. Une inspection du sol révèle facilement sa présence par petits groupes dissimulés un peu partout.

On peut l'éliminer par trois ou quatre arrosages successifs aux 15 jours d'un insecticide systémique comme le cygon 2E (10 cc / 5 litres d'eau). Ensuite, il faut transplanter la plante malade et couper les racines endommagées après une inspection minutieuse, rempoter dans un nouveau pot rempli d'un terreau neuf et stérilisé. On arrose très peu au début car, à ce moment, la violette devient sensible à la pourriture de la racine. Progressivement, la plante atteinte retrouve sa croissance harmonieuse sans trop de dommages.

LA MITE

Aucun parasite ne cause autant de dommages à une violette africaine que la mite, espèce d'acarien faisant partie de la famille des araignées. Trois espèces peuvent attaquer la violette africaine, mais celle qui endommage le plus est la mite du cyclamen. Elle est extrêmement petite et invisible à l'œil nu.

Elle vit et se propage dans le cœur même de la violette, se nourrissant des parties les plus tendres des feuilles naissantes et des jeunes tiges florales. Si sa présence n'est pas décelée à temps, les dommages deviennent irréparables et il faut jeter la plante affectée. Le feuillage et les hampes florales deviennent complètement difformes. Le cœur se serre, devient dur, prend une teinte grisâtre. La plante ne pousse plus.

Pour éliminer les trois sortes de mites, il faut isoler la plante et vaporiser avec une solution de dicofol (5 cc / 5 litres d'eau) à tous les cinq jours pendant un mois. Vous devez aussi arroser avec du cygon 2E (10 cc / 5 litres) à tous les sept jours pour la même période. Les deux traitements se font simultanément et évitent toute résistance possible aux produits employés. Comme ces deux produits occasionnent des dommages aux feuilles, il faudra enlever celles-ci après la récupération complète de la violette africaine.

LA MOUCHE NOIRE

La mouche noire est ce petit insecte de 5 mm que nous rencontrons fréquemment, volant autour d'une collection de plantes. Elle ne cause aucun dommage physique à nos plantes, mais elle est désagréable à supporter et se multiplie rapidement. Elle vit de la décomposition de matières végétales qu'on se doit d'éliminer si on veut résoudre le problème. Généralement, une vaporisation d'insecticide domestique en aérosol ou l'emploi d'une plaquette insecticide (« Vapona ») suffit à l'éliminer. Cet insecte est faible et ne développe que peu de tolérance aux insecticides. Toutefois, si le problème persiste, l'amateur emploiera une solution de malathion (1 cc/litre) vaporisé autour des plantes.

LE NÉMATODE

Le nématode est un ver microscopique, qui vit dans les tissus de la plante et s'en nourrit. Il se rencontre très rarement au Québec, où certains amateurs seulement ont décelé sa présence. Heureusement, parce que cet insecte est un ennemi mortel de la violette africaine. Sa présence est souvent diagnostiquée trop tard, après que les symptômes ont été confondus avec ceux d'autres maladies comme la pourriture de la tige ou de la racine ou d'autres.

Si le feuillage et les fleurs perdent soudainement leur lustre, s'il y a chute de feuilles et de fleurs, si la croissance des nouvelles feuilles s'affaiblit et qu'elles se déforment, s'il y a pourriture de la couronne et des racines et, enfin, si aucun traitement n'agit sur la plante après des essais répétés, peut-être, nous disons bien peut-être, êtes-vous en présence de nématodes. Alors, attention! Ils se répandent facilement.

En examinant les racines, vous pourrez découvrir un indice sûr de leur présence. Au début les nématodes

pénètrent les racines, formant alors de minuscules renfle-
ments visibles à la loupe seulement. Si tel est le cas, jetez la
plante, car cet insecte résiste à tout insecticide domestique.
Seuls certains insecticides utilisés par les professionnels
dans des conditions spéciales pourront l'anéantir.

LE PODURE (COLLEMBOLE)

Ce petit insecte est mieux connu sous son appellation
anglaise de *springtail*.

De forme allongée et de couleur blanc grisâtre, mesurant 1,5 mm, le podure saute constamment à la surface du
terreau ou dans le sous-pot. Il a besoin d'humidité pour
vivre et apparaît en grand nombre lorsqu'on n'a pas
stérilisé le mélange de sol. Il ne cause aucun dommage
aux fleurs ni aux feuilles, mais peut endommager très
légèrement le bout des racines.

L'utilisation en arrosage d'un savon insecticide (1
partie pour 40 parties d'eau) combat ce parasite de façon
habituellement efficace. Si cela ne suffit pas, un arrosage
avec malathion (1 cc / litre) ou cygnon 2E (2 cc / litre)
règle définitivement le problème.

LE PUCERON

Nous connaissons tous le puceron pour l'avoir aperçu sur
les nouvelles tiges de nos rosiers ou sur nos plants de
tomates. Chez la violette africaine, il vit en colonie, particulièrement sur le nouveau feuillage et sur les hampes
florales.

Sa couleur varie du vert au brun foncé. Facile à
repérer à l'œil nu, il mesure jusqu'à 6 mm de longueur.
Son corps de forme ovale penche vers l'avant et, malgré
ses longues pattes, il se déplace très lentement.

Il perce les tissus, suce la sève et endommage ainsi la
région victime de son infestation. Son passage laisse aussi
une sécrétion mielleuse et collante. Cet insecte transmet
plusieurs maladies et il faut le détruire rapidement.

Comme traitement, isolez d'abord la plante atteinte.
Puis vaporisez toute la plante d'une solution de 1 cc de

malathion par litre d'eau ou de 2 cc de cygon 2E par litre d'eau. Le même traitement est répété au bout de sept jours afin de détruire les pucerons nés après le premier traitement.

LE THRIPS

Cet insecte est une calamité. Il devient très difficile à détruire à cause de ses nombreux stades de vie et de sa facilité à s'immuniser contre les traitements insecticides.

Le thrips vit dans les fleurs, sur le feuillage et dans le terreau. C'est un insecte petit mais visible à l'œil nu, surtout quand il se promène dans les fleurs.

L'un des principaux dommages qu'il cause est de percer les anthères et de répandre le pollen sur la fleur, ce qui finit par causer la mort prématurée de celle-ci.

Pour découvrir sa présence, soufflez légèrement sur les anthères d'une fleur terne, tachée de pollen. Dérangé, le thrips sortira rapidement pour se chercher une nouvelle cachette. De forme allongée et de couleur jaune pâle ou brun grisâtre, il mesure à peine 1,5 mm.

Il faut être très méthodique dans le traitement. Premièrement, enlevez toutes les fleurs et toutes les hampes florales de toutes vos plantes pour une période d'au moins 30 jours. Cette solution radicale est une condition essentielle pour la réussite du traitement. Deuxièmement, vaporisez directement le feuillage et le dessus de la terre avec une solution de cygon 2E à raison de 10 cc par 5 litres d'eau tiède, juste assez chaude pour ne pas endommager le feuillage. Répétez ce traitement cinq fois à tous les quatre jours. À une température de 21°C (70°F), une nouvelle génération de thrips se forme à tous les cinq jours. Pour éliminer cet insecte, il faut donc interrompre le cycle, et ce suffisamment longtemps pour détruire le stade nymphal, qui peut s'étendre sur une certaine période de temps.

4 LES MALADIES

Quelques maladies affectent les violettes africaines, mais elles sont heureusement assez faciles à enrayer. La prévention demeure cependant toujours le meilleur moyen pour les éviter et il faut être particulièrement vigilant lors de l'introduction de nouvelles plantes, quelles qu'elles soient. En effet, les nouvelles venues apportent souvent avec elles les germes d'une maladie ou des insectes indésirables.

Placez obligatoirement toute nouvelle acquisition en quarantaine pour une période d'au moins deux mois, après quoi, si aucun problème n'est constaté, la plante pourra rejoindre la collection. En cas de doute, prolongez la quarantaine durant un autre mois. Ne courez aucun risque. Votre collection se conservera ainsi toujours saine et vous n'aurez pas à faire usage de produits chimiques dangereux.

LES PRÉCAUTIONS ET LES SOINS APPROPRIÉS

La collection d'un amateur avisé subit régulièrement une inspection complète. Cette mesure de prévention contre plusieurs problèmes est l'occasion idéale pour enlever toutes les fleurs flétries et les feuilles qui ont jauni ou bruni, signes évidents de vieillissement.

Si le feuillage est recouvert de poussière, un lavage à l'eau tiède lui redonnera tout son lustre et favorisera la respiration. Lorsque vous procédez à cette opération, évitez de placer la plante à la lumière solaire ou dans un courant d'air avant que toutes les feuilles ne soient asséchées.

Enlevez aussi les dépôts de calcaire et de sels minéraux qui apparaissent à la surface du sol et sur les rebords des pots. Vous éviterez ainsi les brûlures aux racines et aux pétioles des feuilles.

Avant leur utilisation, un trempage des pots et des sous-pots dans une solution d'eau additionnée d'eau de javel (60 cc/litre) ainsi qu'un lavage dans une eau savonneuse diminuent les risques d'insectes ou de maladie.

Votre jardin de fleurs et de légumes risque toujours de devenir une source de problèmes si, en rentrant, vous ne vous lavez pas suffisamment les mains avant de manipuler vos plantes d'appartement.

Ces diverses précautions protègent les violettes africaines contre toute infection ou toute infestation. Cependant, malgré de bons soins, une maladie venue d'on ne sait où peut toujours s'attaquer à votre collection. Il n'en tiendra qu'à vous de prendre les moyens de l'enrayer après un diagnostic exact.

LE MILDIOU

Le mildiou se définit comme une maladie cryptogamique qui attaque la partie aérienne de la violette africaine. On constate ses dégâts par la présence d'une sorte de poudre blanchâtre qui se développe sur le feuillage et les fleurs, poudre facilement visible sur les teintes foncées. Le mildiou, dit aussi oïdium ou blanc, est en fait un champignon dont les spores voyagent dans l'air et s'attaquent à un très grand nombre de plantes.

Une mauvaise ventilation, une grande humidité, un écart de température trop élevé entre le jour et la nuit favorisent son apparition. On le retrouve plus souvent à l'automne, lorsqu'on ferme sa maison pour l'hiver et que les systèmes de chauffage entrent en fonction.

Le mildiou affecte la plante en l'affaiblissant. Les fleurs durent moins longtemps. Le feuillage présente en plus un reflet métallique couleur brun rouille lors des affections aiguës, reflet qui ne disparaît pas même après un traitement réussi. Le mildiou est rarement mortel, mais se répand à une vitesse vertigineuse car le seul support de l'air lui suffit comme moyen de propagation.

Certaines variétés de violette africaines sont plus sensibles aux attaques du mildiou. Toutefois, les hybrideurs ont fait d'énormes progrès en sélectionnant des variétés de plus en plus résistantes à cette maladie qui tend à disparaître presque complètement chez les variétés récentes.

Plusieurs traitements viennent à bout du mildiou. Cependant votre milieu peut faire échec à un traitement particulier et il faut alors opter pour un autre moyen. L'un des plus efficaces demeure une vaporisation au fongicide *Acti-Dione P.M.* à raison de 5 cc par litre d'eau aux cinq jours trois fois de suite. Tout autre fongicide à base de captan, de phaltan ou de bénomyl apportera d'excellents résultats. Ceux qui n'aiment pas les produits chimiques, qui, est-il besoin de le rappeler, sont toujours dangereux, peuvent faire une vaporisation des plantes et des murs avec un produit nettoyant, tel que *Lysol*, à raison de 5 cc par litre d'eau.

Quel que soit le traitement, il ne sera vraiment efficace que si vous placez un petit ventilateur près des plantes. Ce moyen devrait prévenir le retour de la maladie, une fois celle-ci enrayée.

LA POURRITURE DE LA COURONNE

Cette maladie se retrouve assez rarement dans les collections puisqu'elle n'est pas contagieuse. Elle est due à une blessure subie par la couronne et dont la guérison s'est mal effectuée. Il s'est alors introduit dans cette blessure des champignons qui causent un désordre dans les tissus, occasionnant un noircissement de l'intérieur de la tige où finit par s'interrompre la circulation normale de la sève.

Deux symptômes révèlent la présence de cette maladie. D'abord, on constate que le feuillage, sain en apparence, s'affaisse graduellement comme dans le cas d'une plante en besoin d'eau. Un apport d'eau ne permet toutefois pas à la plante de retrouver sa fermeté. Deuxièmement, la couronne, immédiatement sous le dernier rang de feuilles, s'est rétrécie de façon anormale et a pris une teinte noire. On peut même dans les cas extrêmes apercevoir un champignon blanc jaunâtre envahir la couronne.

Le traitement est très simple, mais radical : il s'agit du bouturage de la partie supérieure de la plante. On sort la plante de son pot et on coupe la tige en remontant jusqu'à ce qu'on trouve la couleur verte normale, indice d'une partie saine. Il faut s'assurer qu'il ne reste rien de la partie affectée. Ensuite, on réduit le feuillage des deux tiers pour compenser la perte des racines et on enlève aussi toutes les fleurs. La blessure est enduite d'un fongicide comme *Ferbab* ou *No-Damp* et on replante la partie saine comme s'il s'agissait d'une bouture. De très légers arrosages permettent à la plante de récupérer ses forces et de retrouver sa vitalité en trois ou quatre semaines seulement. Par la suite, elle recevra le même traitement que les autres violettes africaines.

LA POURRITURE DE LA RACINE

Contrairement à la pourriture de la couronne, cette affection se rencontre fréquemment. En fait, ce n'est pas véritablement une maladie, mais plutôt la conséquence d'un mauvais traitement, comme par exemple, l'endommagement du système radiculaire d'une violette à l'occasion d'un rempotage. La récupération n'arrive pas à se faire à cause d'un excès d'humidité dû le plus souvent à des arrosages trop généreux ou encore à de mauvaises conditions, telles qu'un terreau trop compressé, mal aéré, trop lourd, qui finalement causent la mort des racines.

Les symptômes ressemblent à ceux de la pourriture de la couronne, à l'exception que celle-ci demeure saine. L'inspection des racines révèle qu'elles sont devenues noires et fines. Elles ne remplissent plus leurs fonctions et ne nourrissent plus la plante qui meurt progressivement. La motte de terre se transforme bientôt en un milieu

propice à la prolifération des bactéries et des champignons.

Pour traiter, il est nécessaire d'enlever toutes les
racines atteintes et de procéder au bouturage de la partie
aérienne saine, exactement comme il est décrit dans le cas
de la pourriture de la couronne. Généralement, la partie à
enlever est moins grande et la plante récupère rapidement
si on a soin de ne pas trop arroser.

5 LA REPRODUCTION

Le débutant dans la culture de la violette africaine devient vite conquis par la très grande facilité qu'a cette plante de se reproduire. En effet, plusieurs moyens s'offrent à lui pour augmenter le nombre de ses variétés préférées. Peu de temps après l'acquisition d'une nouvelle variété, il pourra en produire d'autres exemplaires par l'une ou l'autre des méthodes suivantes : le bouturage de feuille, le bouturage de couronne et le bouturage de gourmand.

Toutes ces méthodes donneront des plants qui augmenteront son plaisir de cultiver la violette africaine. Le semis offre une avenue quelque peu différente, qui consiste à créer de nouvelles variétés personnelles, uniques. En effet, il demeure pratiquement impossible qu'un croisement de variétés hybrides engendre deux plantes identiques.

LE BOUTURAGE DE FEUILLE

Le bouturage d'une feuille de violette africaine est une opération très simple et tout amateur peut le réussir sans difficulté. Le succès dépend surtout du choix de la feuille et de la qualité du milieu d'enracinement.

En premier lieu, choisissez une feuille saine et vigoureuse qui se trouve dans la deuxième ou la troisième rangée, près du centre de la plante. En général, ces feuilles donnent très rapidement plusieurs plantules. Cependant, si vous voulez conserver la symétrie de la violette, vous pouvez enlever une feuille de la rangée extérieure. Elle produira des rejetons, si toutefois elle a encore la vitalité nécessaire, car le taux d'échec est plus élevé chez ces feuilles âgées.

Le pétiole d'une feuille se casse aisément, ce qui facilite d'autant plus la cueillette sur le plant. Un petit mouvement sec sur le côté suffit pour détacher une feuille complète.

Laissez à la feuille environ 7 à 8 cm de pétiole que vous coupez à angle à l'aide d'un couteau propre et bien tranchant. Le haut de la coupe doit être sur le devant du pétiole.

Cette feuille ainsi traitée est plantée dans un milieu d'enracinement léger. Plusieurs mélanges sont utilisés au gré des amateurs. Beaucoup prennent seulement de la vermiculite ou y ajoutent une quantité de perlite dans une proportion du tiers ou de la moitié. Le principe à retenir pour obtenir des résultats satisfaisants est d'assurer un bon drainage tout en maintenant le milieu humide sans qu'il soit détrempé. Un excès d'humidité causera la pourriture et la mort de la bouture.

Le pétiole de la feuille, incliné légèrement, est enfoui verticalement à une profondeur de 3 cm, appuyé sur le bord du pot afin de permettre aux jeunes plantules d'émerger du milieu par le devant de la feuille et de recevoir ainsi le maximum de lumière.

Placez la bouture près d'une fenêtre ou sur une tablette recevant un éclairage artificiel. Elle a besoin de la même quantité d'éclairage qu'une plante normale. Certains négligent ce facteur qui influence pourtant beaucoup la réussite. Il faut arroser la feuille régulièrement en évitant de trop laisser sécher entre les arrosages.

Au bout de cinq à dix semaines, de très petites feuilles commenceront à apparaître à la surface du sol. Bientôt, ces petites feuilles ressembleront à leur mère et prendront l'apparence de plusieurs petites rosettes agglomérées les unes aux autres. Il est temps de procéder à la séparation quand les feuilles atteignent 2 cm de diamètre.

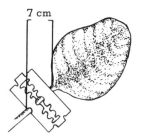 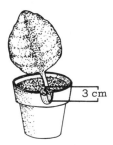

À l'aide d'une lame ou d'un couteau propre, coupez à angle, laissant 7 cm de pétiole.

Enfouissez le pétiole de la feuille jusqu'à 3 cm dans un milieu d'enracinement léger.

Au bout de 5 à 10 semaines, de très petites feuilles commenceront à apparaître à la surface du sol.

Bientôt, les petites feuilles ressembleront à la feuille mère, formant de petites rosettes.

Quand les feuilles atteignent 2 cm de diamètre, les plantules sont sorties et séparées. Ce sont des plantes complètes, qui peuvent survivre seules.

Les plantules sont plantées individuellement en pot convenant à leur développement respectif.

FIGURE 7   *Le bouturage de feuille.*

Les plantules sont alors dépotées, détachées de la feuille mère, séparées, puis plantées individuellement dans un pot de bonne dimension, soit 65 mm (2,5 po). Chaque plantule devient une réplique de la variété dont la feuille provient. Chacune est complète, avec son propre système radiculaire, et prête à entreprendre de façon autonome son cycle de végétation.

Au bout d'une vingtaine de semaines, plusieurs petites plantes fleuries viendront augmenter le nombre de la collection. Il sera agréable d'en distribuer quelques exemplaires aux amis ou aux autres amateurs.

LE BOUTURAGE DE FEUILLE DANS L'EAU

Certains amateurs commencent le bouturage de leur feuille dans l'eau. Ils affirment qu'ils sont moins inquiets lorsqu'ils plantent leur feuille avec un système radiculaire déjà établi. Toutefois, celui-ci s'étant développé dans l'eau, il n'est pas aussi apte à assurer un bon départ à la feuille. En effet, sitôt plantée, la feuille travaillera à refaire un nouveau système radiculaire mieux adapté à son nouveau milieu. Cette méthode demande donc plus de temps, mais comme elle convient à quelques-uns, elle mérite d'être expliquée.

En premier lieu, préparez la feuille de la même manière que si elle allait être placée en pot, sauf que le milieu d'enracinement sera de l'eau et le récipient opaque. Le pétiole de la feuille est immergé à la verticale dans l'eau et y restera le temps d'émettre quelques centimètres de racines, c'est-à-dire environ quatre semaines. Par la suite, plantez cette feuille suivant la description de la méthode précédente. Quinze à vingt semaines supplémentaires s'écouleront encore avant l'apparition des plantules.

LE BOUTURAGE DE COURONNE
OU DE GOURMAND

Souvent une variété de violette africaine est devenue trop grosse ou a développé un «cou» trop long, qui lui donne un aspect négligé ou moins esthétique. Si vous disposez d'un espace restreint et que vous ne pouvez ou ne voulez pas procéder au bouturage d'une feuille, qui prend du temps, une autre solution très simple vous permet de rajeunir la variété en question : vous pouvez procéder au bouturage de la tête ou couronne.

Cette méthode consiste à couper la tête, qui est ensuite débarrassée des feuilles excédentaires. Cela donne une tige d'un ou deux centimètres de longueur dont l'extrémité est coupée de façon nette à l'aide d'un couteau tranchant et propre. Cette tige est ensuite insérée dans un nouveau pot contenant le mélange de sol ordinaire renouvelé et tenu légèrement humide. Le premier arrosage ne sera effectué que quatre ou cinq jours plus tard. Bien sûr, le feuillage se ramollira quelque peu et retombera sur les bords du pot. Mais cela permettra une cicatrisation rapide de la plaie et enclenchera le mécanisme d'émission de racines le long de la tige souterraine. Puis, dès les premiers arrosages normaux, la bouture récupérera progressivement et retrouvera toute sa vitalité.

Seulement quelques semaines suffiront à l'établissement de la plante qui croîtra alors normalement avec toute la vigueur que lui transmettra son nouveau système radiculaire.

Il est possible de conserver la vieille tige, car, en continuant à lui prodiguer des soins sans trop l'arroser, elle émettra encore plusieurs rejetons.

Des gourmands peuvent apparaître en tiges secondaires sur une violette africaine et ils sont bouturés selon la même technique que pour la bouture de couronne.

Pour conclure, retenons que le bouturage de la couronne s'effectue facilement et plus rapidement que tout autre moyen de reproduction. Il est aussi le seul moyen de propagation des variétés dites «chimères» qui ne se reproduisent pas fidèlement par bouture de feuille. Elles donnent alors une variété semblable, mais de couleur totalement uniforme.

LE SEMIS

Le semis se révèle une méthode extrêmement intéressante de propagation de la violette africaine. Ce mode de reproduction permet une multiplication très rapide et économique d'un très grand nombre de plantes.

Il demeure toujours merveilleux de constater qu'en si peu de temps une toute petite graine puisse donner naissance à une si belle plante. Ce miracle de la nature s'opère grâce à vous et vous êtes le témoin d'un cycle de reproduction complet. Il ne faut pas hésiter à tenter l'expérience qui enrichit et surprend toujours l'amateur de violettes africaines. Une plante issue d'un semis d'hybrides réserve toujours une surprise.

La qualité de la semence

La semence de la violette africaine conserve son pouvoir germinatif durant une période d'un peu plus de deux ans si elle est gardée dans des conditions favorables. L'amateur qui désire conserver des graines le fera dans un endroit sec et frais, en ayant soin de les placer dans un contenant hermétique et sombre afin de les protéger de la lumière. Cependant, il demeure préférable de les semer le plus tôt possible, car des graines fraîches assurent une germination dont le rendement est toujours supérieur.

Le milieu de croissance

Plusieurs milieux peuvent servir à la réalisation d'un semis. Ce qu'il est important de retenir, c'est que le milieu doit être léger et bien retenir l'eau tout en assurant un drainage facile. De bons résultats sont obtenus sur de la vermiculite, de la perlite ou un mélange moitié-moitié de ces deux éléments. Certains amateurs sèment même directement dans leur mélange de sol habituel.

Quant à nous, nous avons mis au point un procédé personnel qui nous a toujours valu de nombreux succès. Il est simple, efficace et la germination est excellente.

Vous remplissez un pot de 100 mm de vermiculite jusqu'à 3 cm du bord. Par-dessus, ajoutez 2 cm de préparation à jardinage *Redi-Earth*. Placez ce pot dans un bol d'eau bouillante et laissez tremper une heure. Égouttez. Les avantages sont évidents :

— milieu stérile;
— drainage parfait;

— humidité uniforme;
— enracinement complet;
— nourriture fournie progressivement;
— transplantation facile.

Comment semer

Quel que soit le milieu de germination que vous choisissez, il faut qu'il ait été préalablement humecté.

Puis semez les minuscules graines à la volée directement sur la surface humide. Éparpillez-les le plus également possible, ce qui n'est pas toujours facile. Une petite feuille de papier blanc peut servir de semoir. Les graines s'y distinguent aisément et l'épandage s'effectue plus uniformément.

Les graines de la violette africaine sont très petites: une capsule peut en contenir entre 500 et 1 000. Ne pas recouvrir de terre, elles ont besoin de lumière pour germer.

Une fois le semis réalisé, le récipient est recouvert d'une vitre propre ou d'un film de plastique transparent dans le but de conserver l'humidité à l'intérieur et d'éviter des modifications du milieu ambiant. Lorsqu'il y a formation d'une buée sur la surface intérieure de la vitre, il faut permettre une légère aération. En effet, une trop grande humidité provoquerait la fonte du semis et anéantirait les efforts.

La vitre est conservée sur le pot tout le temps que dure la germination qui commence généralement le dixième jour et s'étend sur un mois environ. Quand la majorité des graines ont germé, retirez peu à peu la vitre pour habituer progressivement les jeunes plantes à l'air libre.

Les soins à donner au semis

Le semis est placé dans un endroit très éclairé près d'une fenêtre ou, idéalement, sous éclairage artificiel. À proscrire complètement: le soleil direct qui tuerait les jeunes plants en quelques heures seulement.

La température recommandée pour une bonne germination se situe entre 20 °C et 30 °C (70 °F à 85 °F). La température optimale est 24 °C (75 °F).

Habituellement, tant que la vitre recouvre le récipient, il n'est pas nécessaire d'arroser. Mais une fois cette vitre retirée, le pot est arrosé par imbibition afin de minimiser les risques de bouleversement des jeunes plants. La fréquence d'arrosage est plus grande que pour une plante adulte puisqu'en aucun temps il ne faut que le milieu ne s'assèche. Les fragiles plantules possèdent peu de réserves et un manque d'eau provoquerait rapidement leur mort.

Quand le premier stade de végétation est passé et que les jeunes plants ont deux «vraies» feuilles en plus des deux cotylédons, commencez à ajouter un peu d'engrais soluble à l'eau d'arrosage. Une formule d'engrais complet 20-20-20 à raison du huitième de la quantité recommandée apporte aux jeunes plants des éléments nutritifs qu'ils sont à même d'assimiler et favorise leur développement harmonieux.

Le repiquage

Lorsque les jeunes plants commencent à s'entasser, le repiquage leur redonne l'espace vital et l'éclairage nécessaires. Ils sont alors transplantés en plateaux communautaires, distants de 3 cm en tout sens. Dès ce moment, vous constaterez qu'ils se développent rapidement en rosettes comme leurs parents. Quand ils menacent de se gêner mutuellement, ils sont placés en pot de 65 mm (2,5 po) jusqu'à leur floraison qui survient après environ 20 semaines dans de bonnes conditions de culture. Pour ces deux étapes, le mélange de sol utilisé sera le même que celui des violettes africaines adultes.

Le but de ces repiquages successifs est d'éviter l'étiolement, car une plante étiolée ne se comporte pas normalement et prend beaucoup plus de temps à fleurir.

L'enregistrement

Si l'un de vos semis contient un plant d'une variété qui possède des qualités supérieures, vous pouvez lui donner un nom. Cette variété aura alors une identité propre et d'autres amateurs bénéficieront des plaisirs de ce nouvel hybride en sachant le reconnaître facilement.

De plus, afin de pouvoir l'inscrire dans les différentes classes lors des expositions, vous devez enregistrer ce nom, sans quoi votre plant ne pourra se qualifier que dans une classe, soit celle des nouveaux semis. Ce privilège n'est accordé qu'une seule fois pour une nouvelle création.

La Société des violettes africaines de l'Amérique (A.V.S.A.) est l'organisme mondial responsable du registre officiel des variétés de violettes africaines.

La Société des violettes africaines du Canada (A.V.S.C.) possède aussi un registre qui ne comprend toutefois que des hybrides canadiens. Ce registre n'est pas reconnu officiellement à l'extérieur du Canada.

Quelques règles régissent ces enregistrements. L'une d'entre elles veut que la variété se reproduise fidèlement pendant au moins trois générations à partir de boutures de feuilles. Au bout de cette troisième génération, la plante doit être identique à celle originellement créée. Une autre règle exige que le nom choisi soit unique et ne soit jamais donné à un autre plant.

Donc pour enregistrer un nouveau plant, faites venir une carte d'enregistrement de l'un ou l'autre des organismes concernés ou des deux selon vos besoins, remplissez-la et retournez-la au responsable avec le montant exigé.

Responsable A.V.S.A.: Mme Mary A. Boland
                      6415 Wilcox Court
                      Alexandria, VA 22310
                      États-Unis

Responsable A.V.S.C.: Mme Arlene Britten
                      6314 Chebucto Road
                      Halifax, N.-É. B3L 1K5
                      Canada

Ainsi votre création sera officiellement reconnue et pourra mériter tous les honneurs auxquels elle a droit lors des différentes expositions tenues au Canada et aux États-Unis.

6 LES MINIATURES ET LES RAMPANTES

Quand j'observe la réaction des gens à la vue de ma petite collection de violettes africaines miniatures ou de rampantes, je ne peux m'empêcher de conclure que l'intérêt pour ce genre d'hybride augmente sans cesse.

Est-ce le charme particulier des miniatures qui les rend si populaires?

Est-ce la grâce naturelle d'une rampante qui déborde de son contenant en retombant délicatement sur les côtés qui la rend si attrayante?

Des questions auxquelles plusieurs réponses sont possibles. Mais certains faits demeurent; les miniatures viennent remédier à un problème d'espace ainsi qu'à l'étroitesse des rebords de fenêtres des maisons modernes; d'autre part les rampantes qui poussent suspendues près d'une fenêtre augmentent la versatilité des violettes africaines.

Beaucoup d'amateurs se spécialisent dans la culture de l'une ou l'autre de ces variétés, de telle sorte que dans les expositions les organisateurs doivent y consacrer de plus en plus d'espace.

LES MINIATURES

Les miniatures sont en fait des répliques exactes des variétés standards mais au format réduit, leur diamètre ne dépassant que rarement 15 cm (6 po). Donc, dans un même espace donné, il est possible de cultiver quatre à cinq fois plus de variétés de miniatures.

Les feuillages et les fleurs sont de dimension proportionnelle à la taille du plant et forment ainsi un équilibre très harmonieux.

Les miniatures existent dans tous les coloris et toutes les formes. Les feuillages peuvent aussi être panachés de blanc, de rose ou de jaune.

Lorsqu'elles reçoivent tous les soins appropriés, les miniatures fournissent une généreuse floraison tout au long de l'année, égayant discrètement tous les endroits où elles se trouvent. Elles procurent ainsi beaucoup de plaisir à celui qui les cultive.

Les soins culturaux sont identiques à ceux des variétés ordinaires, à la différence que la dimension du pot ne doit pas dépasser 65 mm (2,5 po) de diamètre. Les meilleurs résultats sont obtenus en pot de 55 mm (2,25 po).

Comme le volume du terreau est par le fait même restreint, l'assèchement se produit plus rapidement et les arrosages doivent être adaptés, mais toujours en évitant les surplus d'eau qui provoqueraient la pourriture des racines ou de la couronne.

Si le mélange de sol ne donne pas entière satisfaction, il est possible de le modifier quelque peu en le rendant plus poreux par l'apport de perlite. La recette de base doit cependant rester sensiblement la même que pour les autres variétés de violettes africaines afin de préserver toutes les propriétés nécessaires à une croissance équilibrée.

Les violettes africaines miniatures ont par ailleurs une forte tendance à produire des gourmands. Il faut donc surveiller avec vigilance l'apparition de ces indésirables entre les feuilles et les enlever immédiatement afin de maintenir une bonne symétrie. En effet, les espèces utilisées, soit *Saintpaulia nitida* et *Saintpaulia shumensis*, croissent en formant naturellement de nombreux gourmands. Ce défaut est attribuable à l'origine génétique de ces hybrides et non à une défaillance dans la culture, et malheureusement les hybrideurs se sont peu souciés d'éliminer ce défaut.

Ce petit inconvénient ne gâche toutefois pas le plaisir de cultiver ces petites merveilles de l'hybridation moderne, car il existe un très grand nombre d'hybrides possédant toutes les caractéristiques recherchées et satisfaisant aux goûts les plus divers.

LES RAMPANTES

Les violettes africaines rampantes, les dernières-nées de l'hybridation, connaissent une grande popularité depuis quelque temps auprès des adeptes de corbeilles suspendues.

Contrairement aux autres variétés de violettes africaines, les rampantes émettent naturellement de nombreuses tiges secondaires — en fait des branches ou nouvelles couronnes — qui retombent en cascades élégantes autour des pots.

Lorsqu'elles sont bien cultivées, elles répondent par une magnifique floraison qui ajoute encore à leur attrait. Ces ramifications de la branche principale poussent très bien dans des corbeilles à suspendre dont le diamètre est assez grand. Elles s'y trouvent bien à l'aise, les branches secondaires s'enracinent aisément à la surface et finissent par combler toute la superficie avant de déborder et de descendre élégamment. Des spécimens de grande taille deviennent donc possibles si l'espace est suffisant.

Les hybrideurs ont créé une foule de variétés différentes, aussi bien par leurs fleurs que par leur feuillage. Ces variétés existent dans toute la gamme des teintes et des formes. Elles peuvent être de grosseur standard, semi-miniatures ou miniatures, cette caractéristique se définissant plutôt à la grosseur des feuilles qu'à la grosseur des plants.

Leur culture est très facile et exige les mêmes conditions que celles citées au chapitre sur les conditions générales de culture, sauf en ce qui a trait au pot, qui peut être très grand, et en ce qui touche les branches secondaires. Il faut en effet laisser ces branches sur le plant puisqu'elles constituent un élément essentiel à cette culture particulière.

Il arrive cependant qu'une branche secondaire pousse démesurément et beaucoup plus rapidement que les autres. Ce désordre occasionnel et normal qui se rencontre assez fréquemment chez les miniatures est dû à l'instabilité des gènes chez ce type de croisement. Il est préférable de sectionner complètement toute cette branche; cela rétablira l'équilibre naturel et la plante s'en trouvera mieux.

Quelques variétés produisent moins de tiges secondaires que les autres. Il suffit alors de procéder au pinçage des différentes têtes pour arrêter le croissance et forcer la pousse de branches secondaires.

On remarque que les fleurs des variétés rampantes sont plus petites que celles des autres variétés. Le fait qu'elles soient portées par des pédoncules très longs crée cette impression de légèreté qui donne tout le mouvement à la plante. Comme elles apparaissent en très grand nombre et couvrent entièrement le plant quelle que soit sa grosseur, les fleurs des rampantes ajoutent à l'ensemble une note particulièrement élégante.

Pour être jugée lors d'une exposition, une violette africaine rampante doit posséder au moins une tige principale qui se subdivise en un minimum de trois branches secondaires. La symétrie est alors jugée sur l'équilibre naturel que possède la plante dans son pot ou sa corbeille.

EN RÉSUMÉ

Les miniatures et les rampantes constituent deux avenues intéressantes de la culture de la violette africaine. Faciles à cultiver, elles s'adaptent aussi à nombre d'endroits différents, dont ceux inaccessibles aux autres variétés. Leur pouvoir de séduction allié à leurs formes nouvelles ajoute à leurs qualités ornementales. Leur avenir semble assuré.

7 L'HYBRIDATION

Plusieurs amateurs de violettes africaines aiment créer leurs propres variétés. Ils débutent toujours par une capsule de semence, résultat d'une auto-pollinisation provoquée ou découverte au hasard sur une hampe florale. L'ensemencement des graines retirées de cette capsule leur fait découvrir une nouvelle facette de la culture de la violette africaine. Puis, ils veulent aller plus loin et s'intéressent à l'hybridation planifiée.

L'hybridation a ceci de fascinant que l'amateur, autant que le professionnel, y trouve de l'intérêt. Le plaisir de voir croître ses propres variétés augmente à chaque essai car un croisement réserve toujours des surprises. Souvent, l'amateur, plus sensible à ses résultats personnels, en perd son objectivité. Mais lorsqu'une de ses variétés rivalise en beauté et en qualité avec les créations des grands hybrideurs, la fierté atteint son plus haut niveau.

L'hybridation se définit comme l'opération par laquelle on croise deux plants de variétés différentes de violettes africaines. L'union de leurs gènes respectifs crée plusieurs variétés nouvelles, toutes différentes les unes des autres, mais qui conservent les caractères hérités des parents et de leurs ascendants.

POURQUOI L'HYBRIDATION DEVIENT-ELLE SI INTÉRESSANTE?

Après la cueillette de la capsule de graines parvenues à maturité, vous constaterez en ouvrant celle-ci qu'elle contient un nombre de graines pouvant aller jusqu'à 1 000. Un semis de ces graines vous fera découvrir que chacune donne naissance à une plante unique, provenant de la même capsule de semence. Autant de graines, autant de variétés.

Vous remarquerez des formes différentes, des coloris de fleurs insoupçonnés, des feuillages divers, des agencements nouveaux. Aucune plante ne sera identique à l'autre.

Il ne restera plus qu'à sélectionner une ou deux plantes qui par leurs qualités se distingueront des autres et mériteront d'être reproduites.

L'ANATOMIE D'UNE FLEUR DE VIOLETTE AFRICAINE

Une fleur de violette africaine est hermaphrodite, c'est-à-dire qu'elle contient les organes sexuels mâles et les organes sexuels femelles.

Le pistil constitue l'ensemble des pièces de l'organe femelle. Il est divisé en quatre parties dont l'extrémité se nomme le stigmate. Sous celui-ci se trouve le style, sorte de canal par lequel le pollen viendra féconder les œufs. Ces œufs ou ovules sont contenus dans l'ovaire, situé directement sous le style, dans le cœur de la fleur.

L'organe mâle, l'étamine, est constitué du filament surmonté d'une anthère. Les étamines sont faciles à repérer puisque ce sont les petits sacs jaunes au centre de la fleur. Leur nombre peut varier selon qu'il s'agit d'une fleur simple ou double. L'anthère renferme le pollen que l'on extraira pour réaliser des croisements.

PROCÉDÉ D'HYBRIDATION

Au début, vous choisissez deux variétés en fleurs dont vous voulez unir les qualités. C'est souvent la partie la

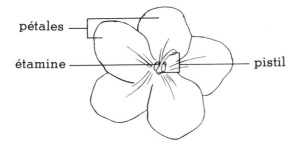

Fleur complète comprenant l'organe femelle (pistil) et l'organe mâle (étamine)

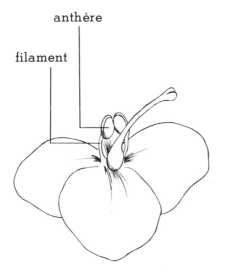 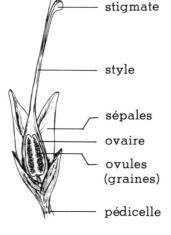

Partie mâle (étamine): les anthères contiennent le pollen.

Partie femelle (pistil): le pollen est déposé sur le stigmate et descend dans le style pour féconder les ovules qui se transforment en graines.

FIGURE 8   *L'anatomie d'une fleur de violette africaine*

plus difficile. Si vous ne possédez qu'une variété, vous pouvez féconder la fleur avec son propre pollen.

La réalisation du croisement s'effectue selon une technique très simple dont voici les trois étapes:

1) d'une variété, prélever une anthère d'une fleur épanouie depuis deux ou trois jours;

2) ouvrir cette anthère avec un objet pointu pour en extraire le pollen, sorte de poudre jaunâtre;

3) déposer le pollen sur le stigmate d'une fleur de l'autre variété. Cette fleur devra être ouverte depuis quatre ou cinq jours.

Et voilà! votre croisement est déjà fait et la nature se charge du reste. Le pourcentage de réussite s'établit aux alentours de 40%.

On constate le succès vers le dixième jour quand l'ovaire prend du volume, atteignant la grosseur d'un petit pois. Plus tard, les pétales de la fleur sécheront ou tomberont, mais le pédoncule restera vert et ferme, nourrissant la capsule qui contient la semence.

Vous pouvez effectuer plusieurs croisements sur une même plante mère et même utiliser du pollen provenant de variétés différentes. Dans ce cas, prenez soin d'attacher au pédicelle de chacune des fleurs une étiquette identifiant la variété père, pour éviter la confusion, et inscrivez-y également la date du croisement. La période de maturation varie entre quatre et six mois; on reconnaît que la capsule de graines est mûre lorsqu'elle tourne au brun et sèche.

LES MÉCANISMES D'HÉRÉDITÉ

Nous abordons maintenant la partie scientifique de ce chapitre, qui pourra vous sembler plus ardue. Il faut bien comprendre que pour créer des plantes de meilleure qualité, la connaissance des lois de la génétique devient essentielle. Lors d'un semis de plantes hybrides, l'amateur constate que les plantes qui en sont issues héritent des caractères de leurs parents. Elles peuvent ressembler à l'un des parents, à part certains traits qui en font des plantes distinctes. Cependant, d'importantes différences par rapport à l'un ou l'autre des parents ou des deux parents se remarquent chez plusieurs plantes.

La génétique, partie importante de la biologie, étudie les lois de l'hérédité ou la façon dont la progéniture ressemble aux parents ou en diffère. Elle résoud la plupart des problèmes auxquels nous faisons face en hybridation. Mon propos n'est pas de vous expliquer toutes les lois de la génétique, mais uniquement celles qui vous rendront le plus service.

Ces lois furent découvertes au milieu du 19e siècle par Gregor Mendel, moine augustin alors peu connu. Au moment où il enseignait dans un collège de la ville de Brno en Tchécoslovaquie, il fit avec des pois des expériences de croisements dans le jardin de son monastère. Ces travaux ont marqué le début de la génétique et servent encore aujourd'hui à expliquer plusieurs phénomènes de l'hérédité.

LA DÉFINITION D'UN HYBRIDE

Un hybride provient d'un croisement entre parents de variétés, d'espèces ou de genres différents.

Les hybrides issus de deux genres distincts sont dits intergénériques. Ils ne peuvent être produits que de genres d'une même famille. Ils sont difficiles à obtenir et la proportion de sujets stériles est très élevée.

Des chercheurs auraient semble-t-il réussi des croisements entre une violette africaine et un streptocarpus, de même qu'entre une violette africaine et un épiscia. Mais ces expériences sont effectuées en laboratoire et les résultats sont tenus secrets. Les hybrides intergénériques diffèrent beaucoup des parents et servent de point de départ pour des plantes aux formes nouvelles.

Les hybrides interspécifiques proviennent de l'union de deux parents d'espèces différentes, mais qui appartiennent au même genre. Citons comme exemple, pour le genre saintpaulia, l'espèce *ionantha* croisée avec l'espèce *grandifolia*. Cette introduction de nouveaux gènes produit alors une variété dont les possibilités de combinaisons génétiques augmentent considérablement.

Les hybrides résultent aussi de tous les nombreux croisements qui sont effectués entre des violettes africaines de variétés différentes. Ce groupe renferme le plus grand nombre d'hybrides.

Ce qu'il faut principalement retenir au sujet des hybrides, c'est qu'en se servant d'une variété hybride comme l'un des parents, on obtient des descendants qui possèdent tous certains traits communs, en même temps que des caractéristiques propres les rendant différents les uns des autres, tout comme on peut en retrouver chez les frères et sœurs d'une même famille.

LES CHROMOSOMES

Dans tous les organismes vivants, qu'ils fassent partie du règne végétal ou animal, chacune des cellules, à l'exclusion des cellules sexuelles, est constituée d'un nombre égal de chromosomes dont la moitié est apportée par chacun des parents.

Les chromosomes sont les porteurs de l'information génétique. Chez la violette africaine, les cellules en renferment 30. Cependant, les cellules sexuelles n'en contiennent que la moitié, soit 15. C'est l'union de deux cellules sexuelles qui formera des cellules complètes de 30 chromosomes, donnant à la violette africaine sa forme diploïde.

Une forme tétraploïde, qui est un doublement du nombre de chromosomes d'une cellule diploïde, est obtenue par l'emploi d'une substance telle que la colchicine. Cette forme artificielle contient 60 chromosomes.

Un croisement entre une plante diploïde et une plante tétraploïde engendre une forme triploïde à 45 chromosomes. Les triploïdes sont le plus souvent stériles.

LES GÈNES

Les gènes, situés dans les chromosomes, se définissent comme des unités héréditaires transmises à la génération suivante par les deux parents. Chacun contient une information codée qui au cours de la reproduction décidera des fonctions et de toute la conformation d'un organisme vivant, tel que la violette africaine.

C'est donc le gène qui définira les qualités et les défauts d'un hybride, de son appareil végétatif, la couleur des fleurs et du feuillage, leur forme, la vigueur de la plante, etc.

Lors de la reproduction, un gamète mâle (cellule sexuelle ne comprenant qu'un chromosome de chaque paire) se combine à un gamète femelle, engendrant ainsi une nouvelle cellule. Cette dernière contient dans son noyau des paires de chromosomes porteurs des gènes provenant des deux parents. Il en résulte de nouvelles combinaisons génétiques qui se manifestent chez les nouveaux hybrides.

LE MONOHYBRIDISME

Le monohybridisme ou hybridation à un seul gène est régi par la loi de la ségrégation, première découverte génétique de Mendel.

Par cette loi, Mendel démontra que si l'on considère un gène donné, les gamètes ne peuvent contenir que le code génétique transmis par les parents. La caractéristique génétique qui apparaît dans la première génération est dominante. Elle est récessive si elle n'apparaît pas à la première génération. Cependant, ce facteur génétique ne se perd pas, il reste latent dans le chromosome et réapparaîtra dans une génération future, dans certaines conditions et dans des proportions bien déterminées.

Par quelques exemples simples, nous tenterons d'expliquer le phénomène qui se passe. Les expériences passées ont démontré que chez la violette africaine la couleur bleue est dominante, alors que la couleur rose est récessive.

Effectuons schématiquement un croisement entre une fleur bleu pur, symbolisée par BB, et une fleur rose, symbolisée par bb. (Il est d'usage d'employer la lettre majuscule pour représenter les caractères dominants et les lettres minuscules pour les caractères récessifs.) La lettre **P** représente la génération parentale, la lettre **F**, la génération filiale.

```
          mère              père
P :        BB        ×       bb
          bleu              rose
           └────────┬────────┘
                    ↓
F1 :                Bb
                   bleu
```

		père	
		b	b
B	B	Bb *bleu*	Bb *bleu*
B	B	Bb *bleu*	Bb *bleu*

(m è r e)

proportion 100%

Ce croisement donnera uniquement des fleurs bleues; mais leurs cellules sexuelles sont devenues hétérozygotes, parce qu'elles portent toutes un gène pour la couleur rose. Pour retrouver la couleur rose, il faudra attendre la génération **F2**, c'est-à-dire le croisement de deux «sujets» issus de la génération **F1**.

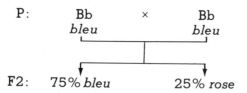

```
P :        Bb        ×       Bb
          bleu              bleu
           └────────┬────────┘
                    ↓
F2 :   75% bleu          25% rose
```

		père	
		B	b
B	B	BB *bleu*	Bb *bleu*
b	b	Bb *bleu*	bb *rose*

(m è r e)

proportion 3 : 1

Nous constatons qu'il y a alors 75% de fleurs bleues et 25% de fleurs roses.

Il existe d'autres proportions possibles. Ainsi, en prenant un hybride **F1** dont on connaît le portrait génétique et en le croisant avec un parent rose ou une autre fleur rose, on obtient la proportion 1:1.

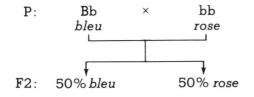

père		
	b	b
B	Bb *bleu*	Bb *bleu*
b	bb *rose*	bb *rose*

mère   proportion 1:1

Ce croisement nous met en présence de 50% de fleurs bleues et 50% de fleurs roses, doublant le nombre de fleurs roses par rapport au croisement précédent.

Toujours selon la même théorie, les fleurs roses de la génération **F2**, croisées entre elles ou avec le grand-parent rose ou mieux encore, avec une autre fleur rose d'une souche étrangère, engendreront des descendants entièrement roses, puisque nous savons maintenant qu'un gène récessif, pour se manifester, doit appartenir à une cellule homozygote. C'est-à-dire contenant deux gamètes à «caractère» rose.

En résumé, la loi de la ségrégation nous révèle que si une caractéristique disparaît à la première génération parce qu'elle est récessive, il n'y a qu'à se rendre à une deuxième génération et le trait récessif réapparaîtra.

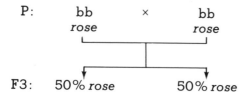

P: bb   ×   bb
            rose   *rose*

F3:   50% *rose*   50% *rose*

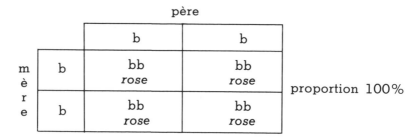

père

		b	b
m è r e	b	bb *rose*	bb *rose*
	b	bb *rose*	bb *rose*

proportion 100%

LE POLYHYBRIDISME

Nous nous intéressons maintenant à l'hybridation à deux caractéristiques ou plus lors d'un croisement donné. Mendel a continué ses expériences pour finalement découvrir un deuxième principe, soit la loi de la ségrégation indépendante des caractères.

Cette loi s'explique ainsi: après fécondation, les gènes se séparent et se combinent indépendamment des autres ou, plus précisément, les membres d'une paire de gènes se séparent lors de la formation des gamètes et se distribuent ensuite au hasard chez les descendants en s'appariant avec d'autres gènes. Ici encore, les proportions sont définies et quantifiables.

Effectuons le croisement d'une violette africaine à deux gènes dominants, telle qu'une fleur bleue de forme sauvage, symbolisée par BBSS, avec une violette africaine à deux gènes récessifs, comme une fleur rose de forme étoilée, symbolisée par bbss.

LES VIOLETTES AFRICAINES STANDARDS

Variété: **Louise Croteau**. Hybrideur: **Denis Croteau.**

Variété: **Melody Sailor boy**. Hybrideur: **Sunnyside.**

LES STANDARDS PANACHÉES

Variété : **Picasso**. Hybrideur : **Michel Tremblay**.

Variété : **Sometin southern**. Hybrideur : **Barbara Sisk**.

LES STANDARDS PANACHÉES

Variété: **Night rider.** Hybrideur: **Nolan Blansit.**

Variété: **Surprise.** Hybrideur: **Yvon Decelles.**

LES MINIATURES

Variétés: **Scooby doo. Cuddle up.
Fairy tales. Little echo.**

LES MINIATURES PANACHÉES

Variété: **Snuggles.** Hybrideur: **Lynden Lyon.**

LES RAMPANTES

Variété : **Tracy trail**. Hybrideur : **Pat Tracey**.

LES SEMI-MINIS

Variétés : **Aca Merry Mary**. Hybrideur : **John Brownlie**.
Aca Wackie Jackie. Hybrideur : **John Brownlie**.

LES CHIMÈRES

Variété : **Mona loa**. Hybrideur : **Granger Garden**.

Variété : **Valencia**. Hybrideur : **Granger Garden**.

FLEURS DE VIOLETTES AFRICAINES

Variété : **Kristie Marie**. Hybrideur : **Lynden Lyon**.

Variété : **Fire bird**. Hybrideur : **Granger Garden**.

FLEURS DE VIOLETTES AFRICAINES

Variété : **Stratler**. Hybrideur : **Granger Garden**.

Variété : **Faith**. Hybrideur : **Granger Garden**.

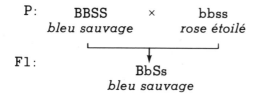

P: BBSS   ×   bbss
        bleu sauvage   *rose étoilé*

F1:   BbSs
                    bleu sauvage

père

		bs	bs
m è r e	BS	BbSs *bleu sauvage*	BbSs *bleu sauvage*
	BS	BbSs *bleu sauvage*	BbSs *bleu sauvage*

proportion 100%

Ce croisement nous donnera 100% de fleurs bleues de forme sauvage. La différence est maintenant que les gènes dominants sont accouplés dans des cellules hétérozygotes. La génération F2 devient alors complexe et fort intéressante.

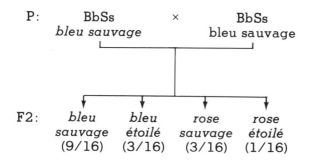

P: BbSs   ×   BbSs
        bleu sauvage   bleu sauvage

F2:   *bleu*   *bleu*   *rose*   *rose*
    sauvage   *étoilé*   *sauvage*   *étoilé*
    (9/16)   (3/16)   (3/16)   (1/16)

On constate que la génération F2 nous offre plusieurs possibilités de combinaisons entre quatre groupes de descendants. Nous possédons 9 plantes à fleurs bleues de forme sauvage, 3 plantes bleues étoilées, 3 plantes roses sauvages et une seule plante à fleurs roses de forme étoilée.

gamètes femelles

	BS	Bs	bS	bs
BS	BBSS *bleu sauvage*	BBSs *bleu sauvage*	BbSS *bleu sauvage*	BbSs *bleu sauvage*
Bs	BBSs *bleu sauvage*	BBss *bleu étoilé*	BbSs *bleu sauvage*	Bbss *bleu étoilé*
bS	BbSS *bleu sauvage*	BbSs *bleu sauvage*	bbSS *rose sauvage*	bbSs *rose sauvage*
bs	BbSs *bleu sauvage*	Bbss *bleu étoilé*	bbSs *rose sauvage*	bbss *rose étoilé*

gamètes mâles

proportion
9:3:3:1

La grille qui a servi à représenter ce croisement peut servir pour tout autre croisement à deux gènes. Il suffit de savoir quels gènes sont dominants et lesquels sont récessifs pour connaître les caractères des gamètes mâles et femelles. Nous les plaçons alors à l'endroit approprié de la grille et nous complétons par multiplication génétique.

Dans les cas d'hybridation à trois gènes, la proportion phénotypique devient 27:9:9:9:3:3:3:1. Nous constatons qu'à chaque fois que nous ajoutons un gène, nous changeons la proportion et diminuons considérablement nos chances d'obtenir un hybride contenant plusieurs gènes récessifs. Mais, il faut reconnaître que chez la violette africaine le travail en vaut la peine, lorsque les gènes récessifs sont des caractéristiques souhaitables pour l'amélioration de la plante.

LES VIOLETTES AFRICAINES AU FEUILLAGE PANACHÉ

L'hybridation d'une violette africaine au feuillage panaché diffère quelque peu de celle à feuillage normal. En effet, pour que les plantes issues d'un croisement possèdent un feuillage panaché, il faut obligatoirement que le plant porteur de la capsule de semence possède un feuillage panaché.

Peu importe que la variété qui fournit le pollen soit ou non panachée, tous les descendants issus d'un croisement auront leurs feuilles panachées si la mère est à feuillage panaché, simplement parce que la transmission du feuillage panaché ne répond pas aux lois de la génétique. En effet, ce sont les chloroplastes qui fabriquent la chlorophylle et contrôlent l'effet panaché. Les plastides et le matériel cytoplasmique ne se transmettent à la génération suivante que par le parent maternel, phénomène appelé hérédité cytoplasmique.

En revanche, les différentes teintes de feuillage panaché sont transmissibles génétiquement et le degré d'influence des deux parents peut être alors démontré d'après les différentes lois génétiques de Mendel.

8 LA PARTICIPATION AUX EXPOSITIONS

Comme la violette africaine intéresse de plus en plus d'amateurs, ceux-ci se regroupent dans des clubs afin d'échanger leurs connaissances, d'améliorer leurs techniques de culture et de mettre en commun leurs expériences et leurs découvertes.

Généralement, ces clubs tiennent une exposition annuelle où les amateurs se mesurent entre eux pour mériter des récompenses et différents honneurs dans plusieurs catégories.

Les expositions, en raison de leur caractère compétitif, améliorent indirectement la culture des violettes africaines. Chaque année, en effet, le meilleur «producteur» est invité comme conférencier pour expliquer la technique qui l'a conduit aux plus hautes distinctions. La diffusion de cette technique permettra aux autres membres de l'utiliser à leur tour, mais pour dépasser le champion, ils devront obligatoirement innover. Ainsi, la créativité de chacun des membres, enrichie des connaissances mises en commun, améliorera considérablement la qualité des expositions et les juges auront fort à faire pour sélectionner la violette parfaite. Il n'y a qu'une seule reine par exposition et une seule élue par catégorie.

Bien entendu, la préparation d'une violette africaine exige de l'amateur un certain doigté et une méthode qu'il veillera à toujours perfectionner. C'est pourquoi dans ce chapitre nous tenterons de fournir des moyens efficaces qui lui permettront de préparer de façon appropriée une violette africaine pour une exposition où il désire remporter les honneurs.

LA PRÉPARATION POUR UNE EXPOSITION

La participation à une exposition se planifie au moins 12 mois à l'avance. Déjà il faut choisir les variétés à exposer, puis les soumettre à un traitement de faveur où tout sera calculé et le moindre risque d'erreur éliminé.

Les chances de chacun sont égales puisque les propriétaires des plantes ne sont connus qu'après le verdict final des juges.

Une bonne connaissance des variétés choisies et un sens d'observation éveillé augmenteront votre assurance et vous apporteront plus de succès. La chance peut également jouer, pour ou contre vous. Tellement d'événements peuvent survenir pendant cette année de préparation... Les amateurs les plus chevronnés auraient de nombreuses anecdotes à raconter sur le sujet.

Enfin, essayez de donner à vos plantes ce petit extra qui leur conférera un degré de supériorité incontestable.

Le choix de la variété

Le choix de la variété exige un certain flair mais plusieurs critères de bases vous guideront. Quoique les goûts personnels jouent pour une bonne part, il faut tenir compte des exigences des juges.

Une variété naturellement symétrique aura la préférence. La symétrie peut s'observer ainsi: chaque rangée de feuilles forme une circonférence qui diminue progressivement et proportionnellement en se rapprochant du centre tout en conservant son élégance naturelle à la plante.

Chaque pétiole doit supporter le poids de la feuille en la maintenant à l'horizontale. Quand les pétioles sont trop gros, ils se tordent souvent en vieillissant, sans raison aucune, et ruinent ainsi l'apparence d'une plante qui présentait du potentiel.

Choisissez enfin une variété très florifère dont les fleurs demeurent longtemps épanouies, si vous désirez participer aux finales avec succès. Je vous recommande les variétés aux fleurs semi-doubles. Elles sont moins lourdes et tiennent mieux sur le plant La couleur et la forme de la fleur ont plus ou moins d'importance, à condition d'être conformes à la description donnée par l'hybrideur. Si celui-ci a enregistré sa création comme une variété rose et que sa plante, par suite d'une carence dans la culture, montre des fleurs blanches, les juges la disqualifieront obligatoirement.

Les juges donnent toujours beaucoup de points à une plante pour la qualité et la quantité de ses fleurs, comme il sera démontré plus loin dans ce chapitre. Une violette très fleurie surclasse beaucoup de concurrentes qui le sont moins. Constatez par vous-même l'effet que crée une variété très fleurie: elle attire et retient l'attention, et souvent les juges la préfèrent en rendant leur décision finale.

Beaucoup d'attention sera apportée à la hampe florale, car sa force et sa longueur doivent lui permettre de soutenir le poids de toutes les fleurs. Un pédoncule trop long cède sous le poids des fleurs et celles-ci s'éparpillent partout sur le feuillage, rompant l'harmonie. Pour que l'équilibre existe, les fleurs doivent se regrouper naturellement en un large bouquet au centre de la violette africaine ou former une jolie couronne.

Le choix d'une plantule

Entre 10 et 18 mois avant la date de l'exposition, on sélectionne une plante parmi celles qui présentent une croissance vigoureuse et un système radiculaire très développé. Cette plantule est maintenue dans des conditions idéales et elle reçoit toute l'attention voulue. Toute négligence dans les soins qu'on lui prodigue hypothèque ses chances de parvenir à la perfection.

Plusieurs amateurs aiment débuter avec plusieurs plantules et choisissent celle qui présente le meilleur rendement au bout de quelques mois.

La culture

Une bonne culture reste toujours une condition essentielle au succès. En accordant beaucoup d'attention aux soins culturaux, on suscite chez la plante une réaction positive qui rapporte des dividendes.

Après la sélection de la plantule, on procède au rempotage tel que décrit au chapitre sur ce sujet. Vous trouverez dans ce chapitre tous les renseignements nécessaires pour mener votre plante à terme. Les rempotages se font régulièrement afin de maintenir la symétrie nouvelle qu'exige le développement de la plante.

Tout au long de cette croissance le mélange du sol demeure le même que celui employé au départ. Toute dérogation à cette règle occasionnerait en effet un manque d'uniformité dans la grosseur et la couleur du feuillage. Les juges n'acceptent pas un tel défaut.

Les arrosages sont effectués avec régularité et ils sont déterminés par rapport aux exigences du milieu ambiant, qui varient selon les saisons. L'arrosage par capillarité prévient les accidents qui pourraient survenir au feuillage.

À l'aide d'un blaireau ou d'un petit pinceau aux soies douces, enlevez régulièrement la poussière sur toutes les feuilles afin d'éviter qu'elle s'y accumule. Les feuilles respireront mieux ainsi et reluiront à la lumière.

Veillez enfin sur l'état général du feuillage. Assurez-vous que toutes les feuilles adoptent une bonne position. Si l'une d'elles s'écarte de sa position naturelle, aidez-la manuellement à reprendre sa place. Faites-le quand la feuille est encore jeune et avec beaucoup de délicatesse pour éviter qu'elle ne s'abîme.

La technique d'ébourgeonnage
(élimination des boutons de fleurs)

De nos jours, la compétition augmente sans cesse. Or, prétendre conduire une violette africaine aux plus grands honneurs sans la pratique de l'ébourgeonnage amoindrit considérablement les chances de succès.

L'ébourgeonnage rend votre violette plus éclatante et lui confère cette allure altière qu'elle doit présenter pour devancer les autres concurrentes.

Laissez votre violette produire une première floraison en pot de 90 mm (3,5 po) afin de vous assurer que vous avez bien choisi la bonne variété. Puis, dès le pot de 100 mm (4 po), commencez l'ébourgeonnage.

La méthode est simple et facile. Chaque semaine, vous couperez à l'aide de petits ciseaux toute hampe florale qui émerge de la base des feuilles. Dès qu'elle atteint 2 cm, on doit réduire la hampe de moitié. Vous ne coupez qu'en tout dernier lieu le centimètre restant, soit lors de la préparation finale de la plante pour l'exposition.

Ce bout de pédoncule servira à la formation, au même endroit, d'un ou de deux nouveaux bourgeons, précurseurs de nouvelles hampes florales qui pourront se développer lorsque vous l'aurez décidé. Cette technique double et même parfois triple le nombre de fleurs au moment opportun.

De cette façon, la plante concentre toute son énergie à la production d'un très beau feuillage. La croissance s'accélère et donne rapidement un très gros plant. Votre violette africaine emmagasine de l'énergie qu'elle utilisera pour une floraison généreuse avec de plus grosses fleurs. Vous poursuivrez l'ébourgeonnage jusqu'à une date bien précise qui peut varier selon votre milieu ambiant et selon que vous ayez choisi une variété à fleurs doubles, semi-doubles ou simples. Dans des conditions normales de culture et sous une température variant entre 21°C (70°F) et 25°C (75°F), vous cesserez d'ébourgeonner huit semaines avant la date de l'exposition pour les variétés à fleurs doubles, sept semaines pour les semi-doubles et six semaines pour les simples. Une température plus élevée que 25°C (75°F) demandera une semaine de moins. Une température inférieure à 21°C (70°F) vous obligera à faire des essais pour déterminer quel temps il prendra à la plante pour refleurir.

Les engrais chimiques

La pratique de l'ébourgeonnage perturbe le cycle naturel de la plante, qui réagit parce que vous l'empêchez de fleurir. Il est donc recommandé d'employer un engrais dont les taux d'azote, de phosphore et de potasse sont égaux, par exemple une formule 20-20-20 ou 10-10-10.

Cependant, à partir de la douzième semaine avant l'exposition, utilisez cet engrais en alternance avec des engrais riches en phosphore et en potasse, tels que 12-36-14 et 15-30-15. Ce procédé stimulera votre violette africaine à produire plusieurs fleurs en même temps. Les hampes florales seront vigoureuses et vous assureront d'un rendement supérieur pour la durée de l'exposition.

LES EXPOSITIONS

Les expositions demeurent une source de motivation et de grande satisfaction pour les amateurs.

Dans la plupart des cas, les juges inspectent minutieusement toutes les plantes et leur attribuent des points selon un barème établi d'après chacun des cinq critères suivants:

	Points possibles
— symétrie du plant	30
— quantité de fleurs	25
— culture	20
— qualité de la floraison	15
— couleur des fleurs	10
Total:	100

Cette échelle de pointage peut varier après entente entre les juges.

Ensuite, ils additionnent les points et attribuent des rubans d'après un barème préétabli.

	Points possibles
— première place — ruban bleu	90 à 100
— deuxième place — ruban rouge	80 à 89
— troisième place — ruban blanc	70 à 79
— mention	variable

Enfin, les différentes violettes africaines sont réparties dans diverses catégories à l'intérieur desquelles chaque violette se voit décerner selon son mérite une rosette dont la couleur varie suivant la performance.

En tout dernier lieu, les juges décernent le titre de «Reine de l'exposition». Le choix est très difficile, mais les juges doivent faire l'unanimité. Ce sont donc souvent de minuscules détails qui conduisent à l'élimination des finalistes et au couronnement de la plante qui surclasse toutes les autres.

Tableau représentant un exemple de classement pour une exposition

Catégorie I: fleurs simples
  Classe   1: feuillage normal
  Classe   2: feuillage panaché

Catégorie II: fleurs semi-doubles et doubles
  Classe   3: blanc
  Classe   4: rose pâle
  Classe   5: rose foncé, corail
  Classe   6: rouge
  Classe   7: lavande et orchidée
  Classe   8: bleu pâle et bleu moyen
  Classe   9: bleu foncé et pourpre
  Classe 10: multicolore
  Classe 11: geneva blanc et autres couleurs
  Classe 12: bicolore
  Classe 13: feuillage panaché

Catégorie III: violettes africaines miniatures
  Classe 14: fleurs simples
  Classe 15: fleurs doubles
  Classe 16: feuillage panaché

Catégorie IV: violettes africaines semi-miniatures
  Classe 17: fleurs simples
  Classe 18: fleurs doubles
  Classe 19: feuillage panaché

Catégorie V: autres genres
  Classe 20: «espèces»
  Classe 21: semis à fleurs simples
  Classe 22: semis à fleurs doubles
  Classe 23: «sports» ou mutations
  Classe 24: culture à la lumière naturelle
  Classe 25: arrangements floraux

Catégorie VI: violettes africaines rampantes
  Classe 26: standards
  Classe 27: miniatures et semi-miniatures

Catégorie VII: gesnériacées, autres violettes africaines
  Classe 28: gesnériacées

CONCLUSION

Vous connaissez maintenant la plupart des techniques pour réaliser avec succès la culture de la violette africaine. Aucun détail n'a été négligé. Maintenant à vous, par la pratique et l'expérience, de parfaire votre savoir. Les chapitres qui précèdent renferment mes connaissances sur le sujet. Conjuguées à vos initiatives personnelles et à votre sens de la créativité, elles feront de vous un amateur averti qui réussira à tirer le maximum de cette plante charmante qu'est le saintpaulia.

Recherchez toujours l'excellence, là est la clé du succès.